STIEFZOON OP DE ADEHOEVE

Clemens Wisse

Stiefzoon
op de Adehoeve

Westfriesland

www.kok.nl

NUR 344
ISBN 978 90 205 3016 2

© 2010 Uitgeverij Westfriesland, Kampen
Omslagillustratie en -ontwerp: Bas Mazur

HOOFDSTUK 1

'Bij het poortje staat een gieter water, Toon. Vul jij deze vaas even dan kunnen we de chrysanten een mooi plaatsje geven.' Het is Allerzielen 1892 en Trui Koetsier is met haar twee kinderen bij het graf van haar man, die twee jaar eerder overleed aan de gevolgen van een ernstig bedrijfsongeval. Terwijl Toontje doet wat zijn moeder hem vraagt, ontdoet zijn zus Lientje de grote grafsteen van gevallen bladeren. De tekst erop wordt daardoor beter leesbaar, doch de snijdende wind maakt het werk van Lientje weer gauw ongedaan. Maar moeder Trui en haar kinderen kennen de tekst van buiten. Onder de imposante grafsteen rust Johannes Cornelis Koetsier, bij leven een lieve vader en een succesvol paardenfokker en veehandelaar in het kleine dorp aan de Adevaart.

'Laat maar, Lientje, de steen bladvrij maken is toch onbegonnen werk,' zegt Trui en ze trekt haar dochtertje, die met een zakdoekje haar ogen droogt, innig tegen zich aan. Met de armen om elkaar heen kijken ze toe hoe Toontje de met water gevulde vaas voor de steen plaatst en handig de chrysanten erin schikt.

'Ik zal hem wat dieper in het grind duwen anders valt-ie nog om met die harde wind,' vindt Toontje. Met zijn open gezichtje kijkt hij zijn moeder aan en die knikt hem toe en aait hem liefdevol over zijn verwarde haardos, want uit eerbied voor zijn overleden vader heeft hij even zijn pet afgezet. Het is een gevoelig jongetje, die Toon Koetsier, en daarom ook vindt moeder Trui het zo erg dat hij en zijn twee jaar jongere zusje het zonder vader moeten stellen. Dertig was Han pas toen dat vreselijke ongeluk met die weerbarstige stier hem het leven kostte. Nog rilt ze van ontzetting als ze terugdenkt aan die fatale augustusdag twee jaar geleden toen hun eerste knecht Tinus Groot haar de onheilstijding bracht.

Een vrolijke Frans was Han. Als jongen op school al en daarom was ze als jong meisje en later als bakvis verliefd op hem. Door de jaren heen is dat zo gebleven en gelukkig voor haar kwam de liefde van beide kanten. De gelukkigste dag van haar leven was toen Han bij haar vader kwam om de hand van diens dochter te vragen. Han was de vierde zoon uit een boerengezin en dus voor haar vader, de kalverkoopman Gijs van Haestregt, een acceptabele partij. Truitje van Haestregt en Han Koetsier gaven elkaar het jawoord en met de nodige humor noemde Han de oude hoeve die zijn vader voor hem gekocht had, De Bok. 'Een koetsier hoort op de bok' was zijn verklaring en hij stichtte er een paardenfokkerij annex veehandel.

Zijn handelsgeest en goede contactuele eigenschappen zorgden voor stijgende omzetten en winst waardoor de spaarpot groeide. Maar niet alleen zakelijk ging het goed, ook en vooral hun huwelijk was erg gelukkig. Dat geluk werd al binnen een jaar bekroond met de geboorte van een zoon. Toontje was een mooi en lief jongetje, en de trots van vader Han kende geen grenzen. Had hij al grootse toekomstplannen, met de geboorte van een zoon werden die steeds concreter. Na twee jaar werd Veehandel De Bok uitgebreid met een grote paardenstal en kreeg het bedrijf van Han Koetsier een steeds grotere bekendheid als Veehandel en Paardenfokkerij De Bok. Han kreeg het daardoor ook drukker en vond in Tinus Groot een toegewijde knecht met verstand van en liefde voor paarden.

Terwijl Toontje al op wankele beentjes achter zijn vader aan dribbelde, lag Truitje in het kraambed en schonk zij tot haar grote vreugde het leven aan een dochtertje, die ze in overleg met haar man vernoemde naar haar schoonmoeder. Lientje Koetsier was een blakend gezond kind en broer Toontje was, vooral in het begin, niet bij de kleine weg te slaan. Een gelukkig gezinnetje dat, behoudens de gebruikelijke kinderziekten, geen grote tegenslagen kende. Zakelijk ging het ook steeds beter waardoor Han zelfs genoodzaakt was een extra hulpje, in de persoon van de toen veertienjarige Frans Borst, aan te trekken.

Maar twee jaar geleden sloeg het noodlot toe en maakte een weerbarstige stier een abrupt einde aan het leven van Han en daarmee aan het geluk van moeder Trui en haar twee kinderen.

Staand aan het graf van haar geliefde met beide armen om de schouders van haar kinderen, denkt Trui aan die gelukkige jaren, maar ook en vooral aan dat vreselijke moment waarin haar leven compleet op zijn kop gezet werd. Nog geen dag, geen uur, geen minuut is Han sedert die fatale gebeurtenis uit haar gedachten geweest. Zij mist hem meer dan ze kan zeggen. Haar kinderen zijn onder de indruk van het troosteloze kerkhof, waar op deze tweede november ook andere dorpsgenoten hun overleden familieleden gedenken, en ze zijn verdrietig. De mensen hebben sombere gezichten en huilen, kinderen ook, maar zij zijn jong en springen morgen weer vrolijk rond. Zij zijn vlug afgeleid, maar dat geldt niet voor Trui. Zij staat er nu alleen voor. Niet slechts voor de opvoeding van haar kinderen, maar ze moet bovendien een oog houden op haar bedrijf. Aan haar beide knechten kan ze veel overlaten, maar niet de gehele bedrijfsvoering. Gelukkig heeft ze steun van haar vader, de kalverkoopman Gijs van Haestregt. Haar eerste knecht is van haar eigen leeftijd en ze heeft al wel gemerkt dat hij de plaats van Han graag zou innemen, maar daar voelt zij niets voor. Hij is niet erg aantrekkelijk en bovendien bezit hij geen rooie cent.

Toch beseft de weduwe Trui Koetsier dat ze te jong is om alleen te blijven. Ze is niet onbemiddeld en ze weet van zichzelf dat ze er goed uitziet. Mooier nog was ze toen ze de leeftijd had waarop jongens meer dan gewone belangstelling voor haar gingen tonen. Een van hen was Arie Kootwijk van de kapitale Adehoeve. Arie was een knappe en leuke jongen. Zij koesterde zich in zijn belangstelling, maar toch voelde zij zich meer aangetrokken tot Han Koetsier. Nu zitten zij en Arie in hetzelfde schuitje, want ook hij is weduwnaar. Zijn vrouw overleefde het kraambed van hun derde kind niet, en dat drama voltrok zich een maand vóór het overlijden van Han. Zij merkt aan de manier waarop de rijke boer van de Adehoeve naar haar kijkt dat hij eigenlijk wel toenadering zou willen zoeken, maar het niet durft. Wat dat betreft is hij sedert zijn jonge jaren niet veel veranderd, want ook toen was hij een zachte en wat verlegen knul.

'Laten we nog even bidden voor pa en dan gaan we naar huis, kinderen,' keert moeder Trui terug tot de werkelijkheid van het moment. Ze knielen op de harde steen en bidden voor het zielenheil van de overledene.
Het is guur op het kerkhof en als ze via het poortje terug op de laan zijn belooft Trui de twee dat ze thuis een beker lekkere warme chocolademelk krijgen. En dan loopt Lientje alweer te huppelen. Dit fijne vooruitzicht dringt de gedachten aan het trieste kerkhof naar de achtergrond. Toon is enkele jaren ouder en hij is nog wel erg onder de indruk van hun bezoek aan het graf van zijn vader. Maar eenmaal thuis warmt hij zijn koude handen aan het knappende vuur dat het dienstmeisje Greetje Bavelaar onder de grote schouw van het achterhuis heeft aangelegd.
'Krijgen we nou onze chocolademelk, moe?' vraagt Lientje, die zich al van een plaatsje dicht bij het vuur aan de grote keukentafel verzekerd heeft.
'Zal ik ervoor zorgen, vrouw Koetsier?' vraagt Greetje gedienstig en Trui knikt.
'Ja, doe dat maar, Greetje, dan zet ik alvast de kommen klaar; ook voor de jongens, want ik zie dat je de koffie al bruin hebt.'
'Ze zullen wel zo komen,' verwacht Greetje en ze krijgt gelijk, want nog geen minuut later schuiven de knechten

Tinus en Frans aan de, met groen geblokt zeil bedekte, keukentafel.

'Het is guur,' zegt Tinus zijn handen warmend aan de kom waarin Trui zojuist de hete koffie geschonken heeft. 'De paarden heb ik maar naar binnen gehaald, want aan zieke beesten hebben we niks.'

Tinus Groot heeft niet alleen verstand van paarden, maar hij houdt ook van zijn beesten. Als een paard wat langer dan gebruikelijk op hoeve De Bok blijft, gaat het hem steeds weer aan het hart het beest te moeten verkopen, maar dat laatste is nodig, want dat is het bestaansrecht van De Bok. De zestienjarige Frans bemoeit zich nauwelijks met de paarden, want in de ogen van Tinus doet hij het niet gauw goed. Hij houdt zich daarom liever bezig met het overige vee en dat gaat hem goed af. Het is een levendige knaap en hij zit altijd vol verhalen, maar Tinus remt hem af als hij te enthousiast gaat vertellen. In het bijzijn van Trui wil hij wel laten merken dat hij de baas is over het 'knulletje', zoals hij hem vaak noemt. Frans heeft een hekel aan die wat kleinerende benaming en vindt het bovendien vervelend dat hij nauwelijks aan het woord komt.

Wat Frans niet weet is dat Tinus indruk wil maken op zijn bazin, waar hij stiekem een oogje op heeft. Trouwen met de weduwe Koetsier en dan mede-eigenaar worden van hoeve De Bok, is zijn ideaal. Maar Trui geeft hem weinig kans. Niet alleen dat het een wat sullige vent is, maar hij bezit bovendien geen stuiver en zulke trouwlustigen lopen er met bosjes tegelijk rond. Nee, Trui is haar lieve Han nog lang niet vergeten en aan hertrouwen is ze nog niet toe.

Zo sullig als Tinus is, zo gewiekst is de jonge Frans. Een veelbelovende knaap in haar ogen.

'Wanneer komt Piet Vonk, Tinus?' vraagt ze. Piet Vonk is de slager van het dorp die besteld kan worden als er een huisslachting moet worden verricht. Voor melk hebben ze op hoeve De Bok twee eigen koeien en voor de slacht wordt er elk jaar een varken vetgemest. Zoals gebruikelijk wordt het varken in november geslacht en dus is het tijd de slager te bestellen. In afwachting daarvan hebben Trui en Greetje, met als extra hulp de moeder van Frans, de kuipen en potten grondig met heet sodawater schoongeboend en laten drogen.

'Piet komt morgen, Trui,' reageert Tinus op de vraag van zijn bazin.

'Heel goed, we zijn er klaar voor,' zegt ze en zich tot Greetje wendend meent ze dat die er goed aan doet haar handen die avond nog eens goed met spekvet in te smeren.

'Zal ik doen, vrouw Koetsier,' knikt het jonge dienstmeisje.

'Het is niet overbodig, want mijn handen zijn helemaal uitgebeten door dat geboen met sodawater.' Ze toont haar handen en Toon, die het ziet, zegt blij te zijn dat hij niet met dat bijtende spul hoeft te werken.

'Maar jij bent morgen en overmorgen vrij van school en dan moet je ook helpen, jongetje,' lacht moeder Trui. Als er geslacht wordt, dan komen ze op de hoeve handen tekort. 'Jij kunt mooi het bloed roeren,' roept ze hem nog na als hij al naar buiten loopt.

Hij moet het bloed roeren. Toon huivert een beetje bij de gedachte het warme bloed van het nu nog springlevende varken in de kuip te zien druipen en het dan te moeten roeren om klonteren tegen te gaan.

Eenmaal buiten wordt hij min of meer getrokken naar het hok waarin het vette varken wroetend rondscharrelt. Zodra hij het hok in loopt steekt Dikkie, zoals hij hem noemt, zijn snuit boven de schutting uit en kijkt hem met een vragende blik in zijn kleine oogjes aan. Het varken heeft met de zoon des huizes goede ervaringen, want er schiet soms een lekker hapje over. Zo ook nu, want Toon heeft toch wel een beetje te doen met het beest. Morgen hangt hij opengesneden aan de ladder, maar daar heeft hij nu nog geen weet van.

Gek is dat toch, dood. En eng ook. Zijn eigen vader is dood. Vanmorgen nog heeft hij bloemen in een vaas geschikt op het graf van zijn vader. Het varken is ook een levend wezen en gaat dood zoals alle levende wezens eens overkomt. Maar er is wel een groot verschil. Om Dikkie wordt niet gerouwd als hij dood is, integendeel, hij wordt opgegeten. Morgen komt Piet de slager en wordt Dikkie met een groot mes gekeeld en hij mag dan het bloed opvangen en roeren. Het gekke is dat hij dat allemaal heel normaal vindt. Het gebeurt overal bij de boeren in het dorp. Ook bij sommige knechten, maar die moeten het grootste deel van het vlees verkopen om voor dat geld kolen, turf en kleren te kopen. Alleen datgene wat er direct na de slacht overblijft en niet bewaard kan worden, eten ze zelf op. Op hoeve De Bok is dat gelukkig anders. Zij eten alles zelf op, om te beginnen bij de heerlijk knapperige kaantjes, waar hij zo dol op is. Het water loopt hem in de mond bij de gedachte alleen al. En toch is het zielig voor Dikkie. Om zijn geweten enigszins te sussen pakt hij een doorgeschoten krop sla, waarvan er een hoopje in een hoek ligt, en gooit die in het hok. 'Hier, vreet maar lekker op,' zegt hij. Dikkie laat het zich geen twee keer zeggen en smakkend en knorrend verdwijnt de krop in de muil van het vette beest.

'We zullen dat varkentje wel even wassen,' lacht Piet Vonk als hij de volgende morgen vroeg op hoeve De Bok arriveert. 'Moet-ie eerst gewassen worden?' vraagt Toontje, wie de woordspeling van de slager ontgaat, maar dan schudt Piet grijnzend zijn hoofd en legt zijn messen op een gereedliggende badding klaar.
'Nee, jongetje, we zullen dat beessie eerst maar een koppie kleiner maken, wat jou Tinus?' Hij richt zich tot de knecht en vraagt hem de 'spekleverancier' maar uit zijn hok te halen. Hij prijst vervolgens de vrouwen die al druk in de weer zijn met het klaarmaken van voldoende heet water. Intussen heeft Tinus het varken een touw om zijn poot gebonden en samen met Frans sleept hij de dikzak onder oorverdovend gekrijs het hok uit. De slager helpt dan een

handje om het varken vast te binden op de badding die op houtblokken gelegd is. De handeling wordt door een indringend gegil van het varken begeleid. Toon draait zich even om, want hij weet wat er komen gaat. Als het gegil overgaat in gereutel moet er bloed opgevangen worden en dat is zijn taak.

'Goed blijven roeren, jongen, anders gaat het klonteren en wordt moeder boos,' zegt de slager, die geconcentreerd zijn werk doet. Even later neemt Trui het van hem over en voegt wat water en kruiden toe. Maar dat is nog niet alles. Ze doet er ook wat grofgemalen roggemeel bij, een flinke schep zout, stukjes spek, rozijnen en ten slotte nog een lepel stroop. Het mengsel zet ze weg om af te koelen.

'Daar kunnen we een aantal lekkere bloedworsten van maken, Toontje,' lacht ze. Toon vindt bloedworst lekker, maar hij kan nog niet meedoen met de vrolijkheid van zijn moeder en van de slager. Het lijkt wel een feestdag, want als moeder de emmer bloed heeft weggezet komt ze terug met een kruik jenever en glaasjes. 'Zo, en nou eerst maar een borrel, jongens.' Trui weet hoe het hoort en schenkt de glaasjes van de mannen tot de rand toe vol.

'Jij schenkt een beste borrel, Truitje,' glundert de slager, wiens gezicht rood is van de inspanning en misschien ook wel van de vele borrels die hij tijdens het aan-huis-slachten achteroverslaat. 'Neem je zelf niks?' vraagt hij, genietend van zijn borrel nippend.

'Nee, daar is het me een beetje te vroeg voor, Piet.'

'Het beessie is dood en dat moet gevierd worden, meissie.' Voor Piet Vonk is het nooit te vroeg voor een borrel en dat weet Trui. Ze kent de slager al vanaf de schoolbanken en ze heeft in haar jonge jaren meer dan eens met hem gehost tijdens de jaarlijkse kermis op het dorp. Een vrolijke kerel, maar ook wel een rokkenjager, wat weer blijkt als ze zegt dat ze er niet best tegen kan.

'Ik houd m'n verstand er liever bij, want anders ga ik gekke dingen doen.'

12

'Je kunt mij niet gek genoeg doen, Truitje,' grinnikt de slager en met welgevallen kijkt hij naar de aantrekkelijke weduwe.

'Jij verandert ook nooit,' speelt Trui het spel maar mee. 'Houd je glas nog maar eens bij, want op één been kun je niet lopen.'

'Nou ben ik toch blij dat je je verstand erbij houdt,' wil Piet Vonk het laatste woord, maar als hij zijn glaasje in één teug geledigd heeft, wordt hij weer serieus en vraagt om kokend water. Daar heeft Greetje inmiddels voor gezorgd en met grote nappen tegelijk wordt het over het dode varken gegoten, waarna het vuil en de borstelige haren van de huid geschrapt worden. Daarna hijsen ze het beest aan de achterpoten tegen een ladder, die schuin tegen de muur staat, op en wordt de buik opengesneden waarna de ingewanden eruit gehaald worden.

Het is niet de eerste keer dat Toon het slachten van een varken meemaakt, maar toch maakt het gebeuren weer veel indruk op hem. Vrolijke mensen rond een beest dat hij een dag eerder nog verwende met een krop sla. Het geeft een dubbel gevoel. Aan de ene kant heeft hij medelijden met Dikkie, die zo roemloos aan zijn eindje kwam, maar aan de andere kant loopt het water hem in de mond als hij denkt aan zijn boterham met warme knapperige kaantjes.

'Ik kom vanmiddag terug om het karwei af te maken,' zegt de slager als het varken schoongespoeld aan de ladder hangt. Het beest moet eerst afkoelen voordat verder gewerkt kan worden.

Die middag begint de slager met het afhouwen. Met uitzondering van de karbonades worden de achterhammen, de buiken, de zijden mager en de ruggen vet spek in houten kuipen ingezouten en voor verdere behandeling twee weken weggezet. Nadat het vet in de vleesmolen gemalen en verhit is, wordt alles door een vergiet in stenen potten gegoten, waarna er kaantjes overblijven waar Toon zo dol

op is. Hij zit diezelfde avond al te smullen van zijn boter-
hammen met verse kaantjes.
'Het schijnt te smaken,' lacht moeder Trui als ze het verlek-
kerde gezicht van haar oudste ziet. Ze herinnert zich dat
Han er ook altijd zo gek op was en dat hij wat van het vlees
en spek liet inpakken en naar zijn grote vriend Thomas de
Zwaan bracht.
'Pa bracht na de slacht altijd wat naar Thomas. Wil jij dat
deze keer doen, Toon?' vraagt ze en Toon knikt ijverig, want
hij gaat maar al te graag naar Thomas de Zwaan in zijn
Zwanennest aan de plas.
'Nu meteen, moe?'
'Nee, morgen is vroeg genoeg. Ik zal ook een pot hoofdkaas
meegeven, want ik weet dat Thomas daar gek op is.'

Hoewel Toon nog maar een klein jongetje was herinnert hij
zich de bezoeken, samen met zijn vader, aan de kunstenaar
en vrijbuiter Thomas de Zwaan. Na de dood van zijn vader
komt hij er nog af en toe om iets te brengen wat Thomas
besteld heeft, of zomaar om weer eens bij deze goede
vriend van zijn vader te zijn. Als hij bij Thomas is lijkt het
net of pa elk moment vanuit een van de vele vertrekken die
de grote villa aan de plas telt, tevoorschijn kan komen.
Onzin natuurlijk, maar toch voelt hij zich bij Thomas blij,
geborgen lijkt het wel. Hij heeft ook altijd iets bijzonders en
af en toe mag hij ook wat prutsen met verf in het schilder-
satelier of helpen bij het opknappen van een apart stukje
antiek in de werkplaats in de aanbouw van de villa. Hij
komt er graag en daarom ook vindt hij het zo fijn zijn grote
vriend te mogen verrassen met dingen waarvan hij weet dat
Thomas die lekker vindt.
'Waar heb ik al die heerlijkheden aan te danken?' Thomas
slaat zijn handen ineen en doet gauw de deur achter zijn
jonge bezoeker dicht, want de snijdend koude wind doet
hem huiveren in het deurgat. Toon kon niet wachten om
hem een kijkje te gunnen in de mand die moeder hem mee-

gegeven heeft. 'Van ons varken dat Piet Vonk gisteren geslacht heeft,' licht hij ten overvloede toe.

'Er zitten ook kaantjes bij, Thomas; die zijn toch zo lekker!' De kleine jongen kijkt zijn grote vriend met een verheerlijkt gezicht aan, maar datzelfde gezicht betrekt dan weer. Hoe jong hij ook is, hij weet bij ondervinding dat Thomas houdt van alles wat leeft en groeit, en die kaantjes komen van Dikkie. Hij zegt het ook. 'Dikkie leefde eergisteren nog en toen heb ik hem nog een krop sla gegeven.' Hij probeert zijn grote vriend duidelijk te maken dat hij vlak voor de dood van de dikbuik nog een goede daad verricht heeft en Thomas voelt precies aan wat er in zijn kleine vriendje omgaat.

'Was je erbij toen de slager jullie varken slachtte?' vraagt hij en Toon knikt.

'Ik moest het bloed roeren en toen mijn moeder er van alles aan toegevoegd had schonk ze de mannen een borrel in. De slager zei dat ze de dood van Dikkie moesten vieren. Gek hè?'

'Zo gek is dat niet, hoor! Dat noemen ze traditie. Een varken wordt vetgemest om op te eten en dat moet jij je niet aantrekken.' Thomas is geroerd door de woorden van de kleine jongen en praat hem ieder schuldgevoel uit het hoofd. Hij leidt hem vervolgens af door hem een klusje in de werkplaats op te dragen.

Terwijl Toontje bezig is laten de tegenstrijdige gevoelens van het jongetje hem niet meteen los. In de uitingen van Toontje ziet hij karaktertrekken terug van diens vader, zijn goede vriend Han Koetsier. Medelijden heeft hij nog steeds met Trui en haar twee kinderen, die hun man en vader op zo'n jonge leeftijd moesten missen. Hij laat geen gelegenheid onbenut om ze op te beuren en het is ook fijn dat ze hem niet vergeten zijn. Na de slacht van een varken bracht Han hem ook vaak het een en ander en Trui laat haar zoontje nu hetzelfde doen. Heerlijk vindt hij het wat hij bracht, maar meer nog waardeert hij het gebaar.

Han was meer dan een eenvoudige boerenzoon en Toontje heeft een bijzondere eigenschap van hem geërfd. Fijne herinneringen heeft hij aan de keren dat hij samen met Han de natuur in trok. Hij wilde Han wijzen op de schier eindeloze variatie van bloemen en planten in het wild. Boeren in het dorp hebben daar geen oog voor. Alles wat niet eetbaar is, is onkruid in hun ogen. Han dacht daar anders over. Hij herinnert zich nog de ochtend waarop zij een lange wandeling langs het meer maakten. Aanleiding van die wandeling was de vraag van Han waar hij, Thomas, zijn inspiratie voor zijn schilderstukken vandaan haalde. Het was een ochtend vroeg in de lente en samen zogen zij met welbehagen de frisse lucht van de jonge dag in hun longen. De zon had de regenwolken van de vorige dag verdreven en deed de druppels op het jonge blad glinsteren in haar stralen. In het bos, dat als een groene zoom het meer omringt, floten vroege vogels hun lied om hun territoria alvast af te bakenen. Meerkoeten sleepten onvermoeibaar takjes en biesjes aan om een nest te maken. Een drijfnest dat op en neer met het niveau van het water mee beweegt. 'Kijk, dat inspireert mij nou,' zei hij en Han begreep het.

'Ik ben klaar, Thomas, heb je nog meer klusjes?' onderbreekt Toontje de overpeinzing van de kunstenaar. 'Ik hoef nog niet meteen naar huis, hoor!' Met dat laatste demonstreert de kleine jongen duidelijk dat hij erg graag op Het Zwanennest komt. Hij noemt zijn veel oudere vriend op diens verzoek gewoon bij zijn voornaam, maar eigenlijk neemt die ook een beetje de plaats van zijn overleden vader in. Thomas kan heel geduldig luisteren en als hij raad nodig heeft wil hij die altijd wel geven. Maar er is meer. Naast de interessante dingen in de werkplaats en het atelier van Thomas heeft die ook een aantal mooie prentenboeken en daar mag hij in lezen en plaatjes kijken.
'Nee, klusjes heb ik niet meer voor je, maar ik heb wel een nieuwe album met mooie prenten; als je wilt mag je die

gaan bekijken.' Toontje is vervolgens zó intensief met het album bezig dat hij zuchtend de map sluit als Thomas meent dat het tijd wordt om naar huis te gaan.

'Zit niet zo op te scheppen, joh,' zegt Jaap Kootwijk, 'ons varken is vorige week al geslacht en vóór het einde van de maand slachten wij ook nog een koe.'

'Ik heb het toch niet tegen jou,' reageert Toon nijdig. Hij kan de zoon van de rijke boer Arie Kootwijk van de Adehoeve niet uitstaan en zeker niet als die zich bemoeit met zijn doen en laten. 'En dan nog wat, als er één opschepper is dan ben jij het wel!' Toon is een gevoelig ventje, maar hij laat zich zeker niet op zijn kop zitten door die bullebak.

Hij zit in de vierde klas bij meester Teulings en daar zit Jaap Kootwijk ook. Ze hebben speelkwartier, maar spelen doet Jaap niet. Daar voelt hij zich al te groot voor. Wel heeft hij vaak het hoogste woord en probeert hij anderen met zijn gepoch de loef af te steken. Toon heeft gelijk dat Jaap een opschepper is en zijn broertje Hein, die bij zus Lien in de klas zit, is geen haar beter. Het is bovendien een pestkop. Lientje hakkelt een beetje en Hein Kootwijk heeft er een handje van haar daarmee te pesten.

'Hou toch op!' hoort Toon zijn zusje half huilend roepen en dan vraagt hij wat er aan de hand is.

'Word je gepest?'

'Hij daar zit me te pppp..esten.' Als Lientje wat overstuur is kan ze helemaal moeilijk uit haar woorden komen. Ze wijst naar Hein Kootwijk, die op een afstand gemeen staat te grinniken.

'Jij moet mijn zusje niet pesten, joh,' vermaant Toon de pestkop en hij geeft hem een duw, maar dat ziet Jaap en die neemt het meteen op voor zijn broer. Hij stormt op Toon af en geeft hem een flinke tik. Uiteraard laat Toon dat niet over zijn kant gaan en, potig als hij is, geeft hij zijn aanvaller een nog hardere tik terug.

'Ophouden, jullie!' komt de strenge stem van de bovenmeester en daar schrikken ze beiden van. Meester Borghout geeft les aan de hoogste klassen en een strenge blik van hem is doorgaans voldoende om de orde te herstellen. Vooral de kinderen uit de lagere klassen hebben een heilig ontzag voor de bovenmeester.

'Wat kijk jij lelijk,' zegt moeder Trui als Lientje die middag uit school komt.
'Hein KKKKK..ootwijk heeft me weer gepest,' stottert ze en Toon vult aan dat hij de pestkop een flinke duw gegeven heeft en dat hij diens broer Jaap, die zich ermee bemoeide, op z'n bek geslagen heeft.
'Wat 'n grote woorden,' schrikt Trui. Toch is het niet alleen de wat ruwe uitlating van haar zachtaardige zoontje waar zij van schrikt. Uitgerekend met de twee kinderen van weduwnaar Arie Kootwijk, de sympathieke boer van de Adehoeve, krijgen haar eigen kinderen ruzie. Aan hertrouwen is ze nog lang niet toe, want Han is nog geen dag uit haar gedachten geweest, maar Arie is wel een erg aardige en zachte man. Kennelijk aarden zijn kinderen niet naar hem, maar naar zijn overleden vrouw Alie. Zij herinnert zich Alie Kruining als een nors en hooghartig meisje dat weinig omgang had met leeftijdgenootjes. De jongens liepen met een grote boog om haar heen. Ook Arie, maar hij had de pech dat Alie de dochter was van de rijkste boer van het dorp en dat zijn eigen vader niet veel voor Cor Kruining onderdeed. Geld trouwt met geld en de rest is bijzaak. Dat is een harde boerenwet. Trui weet van zichzelf dat ze er goed uitziet en dat ze een zacht karakter heeft. Wat dat betreft zouden zij en Arie goed bij elkaar passen, maar de kinderen moeten het onderling ook goed met elkaar kunnen vinden. Als die karakters te veel botsen dan zou je constant een huis vol herrie hebben. Enfin, wat loopt ze te piekeren; er is van een toenadering of aanzoek van Arie Kootwijk geen sprake.

Het is met de kwartalen als met de kwartieren van de klok, ze volgen elkaar in gelijk tempo op. Als er geen schokkende dingen gebeuren gaat de tijd bijna ongemerkt voorbij. Op hoeve De Bok gebeuren er geen dingen waar Trui zich ernstig zorgen om moet maken. Zeker niet om de leerprestaties van Toon. Hij gaat steeds zonder problemen over en voordat ze het goed en wel beseft is haar jongen doorgedrongen tot de hoogste klassen van de dorpsschool. Als ze zich toch wat zorgen moet maken is het om Lientje. Die heeft veel last van haar gehakkel. Als ze op school een stukje moet lezen dan bakt ze er niets van en schaamt ze zich voor haar klasgenootjes, die vaak op hun lippen moeten bijten om niet in de lach te schieten.

Ondermeester Teulings heeft wel begrip voor haar handicap en spaart haar zo veel mogelijk. Met pastoor Eerhart is het niet veel anders. Als ze in de biechtstoel op het driehoekige bankje knielt en de vage gestalte van meneer pastoor achter het horretje ontwaart, zinkt de moed haar in de schoenen. Ze moet beginnen met: 'Eerwaarde vader geef mij uw zegen. Ik belijd mijn schuld voor de Almachtige God en voor u, vader; mijn laatste biecht is vier weken geleden geweest'. Maar het is zo'n mondvol dat ze er niet uit komt. Ook in de pekelzonden 'verslikt' zij zich en dan komen de tranen.

'Je hoeft niet te huilen, hoor Lientje!' zegt de pastoor zacht. De herder van de parochie is een gemoedelijke man en evenals de ondermeester kent hij het gebrek van Lientje. 'Je hoeft het niet allemaal hardop te zeggen, meisje,' helpt hij haar een handje. 'Denk maar goed aan je zonden en als je er spijt van hebt krijg je van mij de absolutie. Zullen we het voortaan zo maar doen?'

'Ja, mmmm..eneer pppp..astoor,' besluit Lientje en opgelucht gaat ze, na de absolutie, in de kerkbank zitten om haar gebruikelijke drie Onzevaders en drie Weesgegroetjes te bidden. Eenmaal thuis vertelt ze opgetogen over de oplossing die die lieve meneer pastoor voor haar gevonden heeft. Ook moeder Trui is blij voor haar meisje en dankt meneer pastoor tijdens haar volgende biecht voor zijn begrip.

'Graag gedaan,' reageert de oude pastoor. Inwendig moet hij lachen om het voorval. Het gaat natuurlijk niet, maar eigenlijk zou hij de oplossing voor Lientje ook op de andere kindertjes van toepassing willen laten zijn. Als er klassikaal gebiecht wordt en hij een halve middag alle kinderlijke misstappen heeft moeten aanhoren zou dat een probaat middel zijn. Er komt nooit een kind in de biechtstoel met de mededeling dat hij niets te biechten heeft. Desnoods verzinnen ze wat. Hij kent de zonden op zijn duimpje: uit de suikerpot gesnoept, ongehoorzaam geweest, omgekeken in de kerk, gevochten, enzovoort. Een jongetje, enig kind van een parochiaan, betrapte hij eens op zo'n verzinsel toen die met een schuldbewust koppie biechtte dat hij zijn broertjes en zusjes geslagen had.

'De bovenmeester wil morgenavond even langskomen, moe; is dat goed?' Toon brengt de boodschap die hij heeft meegekregen van meester Borghout, over aan zijn moeder.

'Heeft de meester ook gezegd waar het over gaat?'

'Ja, hij vindt het verstandig dat ik ga doorleren en daarover wil hij met jou komen praten.'

'En wat vind jij zelf?'

'Ik weet het niet, moe. Er is maar één jongen uit mijn klas die gaat doorleren en dat is de zoon van dokter De Boog. Eerlijk gezegd heb ik er nog nooit over nagedacht. Ik ben er altijd van uitgegaan dat ik Tinus en Frans zou gaan helpen als ik van school zou zijn.'

'Daar ben ik ook van uitgegaan, jongen. Enfin, we zullen maar afwachten wat meester Borghout voorstelt. Zeg maar tegen hem dat hij morgenavond van harte welkom is.'

'Het ruikt hier niet slecht, mevrouw Koetsier.' Met welbehagen snuift meester Hans Borghout de pittige koffiegeur op die hem uit de keuken tegemoet komt. 'Fijn dat u me even wilt ontvangen.'

'Het is een hele eer voor ons dat u speciaal komt om over mijn zoontje te praten, meneer Borghout. Maar voordat wij gaan praten zal ik u eerst een kop koffie inschenken. U belieft toch wel een kopje?'

'Als uw koffie smaakt zoals-ie geurt kunt u mij geen groter plezier doen, mevrouw.' Een echte schoolmeester gaat het door Trui heen, maar het beschaafde optreden van de bezoeker vindt zij toch erg aangenaam.

Terwijl Trui met de koffie in de weer is kijkt Borghout om zich heen en concludeert dat Toon en Lientje opgroeien in een beschutte en welgestelde omgeving. Ze missen een vader, maar als zijn mensenkennis hem niet in de steek laat wordt dat gemis grotendeels gecompenseerd door een warmvoelende moeder.

'Het doel van mijn komst is u ervan te overtuigen dat doorleren voor Toon een verstandige beslissing zou zijn.'

'Eerlijk gezegd hebben Toon en ik het daar nooit over gehad, meneer Borghout. Voor ons is altijd duidelijk geweest dat Toon na zijn schooltijd zou gaan helpen in ons bedrijf met de bedoeling het later zelfstandig te gaan leiden. Hij moet verstand krijgen van vee en paarden en dat leer je in de praktijk beter dan op school.'

'Om een bedrijf te leiden is een brede kennis noodzakelijk, mevrouw. Toon heeft een helder verstand en ik meen te moeten vaststellen dat het u niet aan middelen ontbreekt om zijn studie te betalen.'

'Geld is ook geen probleem, meneer Borghout, maar doorleren is iets voor kinderen van de hoge heren, zoals doktoren en notarissen, maar niet voor dorpskinderen.'

'Er zijn dorpskinderen met een helder verstand en als hun ouders over voldoende middelen zouden beschikken zouden die kinderen in staat zijn via studie hoge posities te bereiken. Door gebrek aan middelen zijn die jongeren gedoemd hun leven als daggelder of knecht te slijten. Ik hoor u denken: die moeten er ook zijn, maar toch is het zonde dat er door geldgebrek zoveel talent onbenut blijft. U hebt de middelen en Toon heeft de capaciteiten om veel kennis te vergaren. Wat hij later met die kennis doet moeten we afwachten, maar geef hem een kans.' Na zijn lange en indringende betoog zakt meester Borghout terug in zijn stoel en accepteert graag de fijne sigaar die Trui hem, tegelijk met een tweede kopje koffie, presenteert.

'Ik waardeer de moeite die u voor Toontje doet, meneer Borghout, maar ik moet er eerst eens over nadenken en er nog eens met mijn jongen zelf over praten. Misschien stuur ik hem nog even naar Thomas de Zwaan. Misschien kent u hem wel. Hij was een goede vriend van mijn overleden man en Toon komt graag bij hem. Hij woont in villa Het Zwanennest aan de plas.'

'Of ik Thomas ken? Nou, reken maar! Hij is een van mijn beste vrienden. We hebben een gemeenschappelijke hobby en dat is schaken. De partijen die wij samen gespeeld hebben, zijn nauwelijks te tellen. En weet u wat het leuke is? We zijn aan elkaar gewaagd. Thomas is een begenadigd kunstenaar en wat ik zo in hem waardeer is zijn naastenliefde en ook zijn liefde voor de natuur. Als Toon Thomas om raad vraagt zal die hem zeker een eerlijk advies geven. Ik ben benieuwd.' Met die woorden neemt de bovenmeester afscheid van Trui. Nu Thomas erbij betrokken wordt stijgen de kansen van Toon. Daar is meester Borghout wel zeker van.

'Wie we daar hebben!' Thomas de Zwaan is verrast als Toon bij hem op de stoep staat. Het is alweer een hele poos geleden dat zijn jonge vriendje op bezoek kwam en als hij hoort dat Toon advies van hem wil hebben, is hij een en al oor. 'Vertel op! Waar kan ik je mee helpen?'

'Meester Borghout is gisteravond bij ons thuis geweest om met mijn moeder over mij te praten.'

'Heb je kattenkwaad uitgehaald?'

'Nee, hij wil dat ik ga doorleren als ik van school af kom.'
'En, heb je daar zin in?'
'Ik weet het niet; moe en ik hebben het er nooit over gehad. Het is altijd de bedoeling geweest dat ik veehandelaar en paardenfokker zou worden.'
'Kennis is macht, jongetje, dus ik zou maar doen wat meester Borghout je voorstelt. Arme kinderen krijgen de kans niet, jij wel, dus pak die kans!'
'Heb jij zelf veel geleerd, Thomas?'
'Wat is veel? Ik ben geen professor geworden,' lacht Thomas. 'Maar dat ik verstand heb van kunst en verdienstelijk schilder heb ik wel aan mijn opleiding te danken.'
'Welke opleiding?'
'Eerst ben ik naar de HBS gegaan en daarna naar de Rijksacademie van Beeldende Kunsten. Gelukkig heb ik welgestelde ouders, dus kreeg ik volop gelegenheid mijn talenten te benutten. Doe dat ook, Toon! Paardenfokker kun je altijd nog worden.'
'Dan zal ik maar tegen mijn moeder zeggen dat ik graag wil doorleren,' besluit Toon. 'Zal ik dan later ook naar de Rijksacademie gaan?'
'Daar zullen we het nog wel eens over hebben als je je HBS-diploma in je zak hebt. Moet je al naar huis of kun je me nog even helpen?'
'Waarmee?'
'Ik moet een kratje maken om een schilderij in te vervoeren. Morgen wil ik het afleveren bij een heel rijke klant. Heb je zin om mee te gaan?'
'Dat zou ik best willen, maar morgen moet ik naar school.'
'Ja, natuurlijk. Nou, weet je wat, ik stel het uit tot zaterdag, want dan ben je vrij. Goed?' Dat wordt afgesproken.

'Wat ben jij een vroege vogel, zeg!' moppert Thomas als Toon die zaterdag voor dag en voor dauw voor zijn neus staat.
'Het is toch prachtig weer,' verdedigt Toon zijn vroege

komst. Het is maart en zodra het licht werd is hij uit zijn bed geklommen om maar vlug bij zijn grote vriend te zijn.

'Daar heb jij gelijk in,' moet Thomas toegeven. 'Met mooi weer moet je niet te lang in je bed blijven. Ik eet even snel een boterham en dan gaan we. We zullen de route door de weilanden nemen, want er zijn nu veel broedende vogels.'

'Gaan we nesten zoeken?' Een rit naar de rijke klant van Thomas vindt Toon fijn, maar kievitseieren zoeken is ook erg leuk.

'Zoeken vind ik best, maar de eieren laten we liggen,' zegt Thomas.

'Echt waar?' Toon kijkt de kunstenaar verbaasd aan. Nesten zoeken en de eieren laten liggen is toch onzinnig. Ja, één ei laten liggen en hopen dat de kievit er dan weer drie bij legt.

'O, één ei laten liggen bedoel je. Dom van me; ik dacht dat je alle eieren wilde laten liggen,' lacht Toon.

'Dat wil ik ook! Je moet de natuur niet verstoren.'

Toon begrijpt er niks van en gaat Thomas maar gauw helpen bij het inspannen van het paard voor het rijtuig. 'Een best paardje, Toon. Ik heb hem nog van je vader gekocht. Met hem maakte ik vroeger hele wandelingen door de natuur en wees hem op alle wonderen van de schepping. Hij had veel gevoel voor die schoonheid. Ik hoop dat jij die eigenschap van hem geërfd hebt, jongen.'

'Ik vind de natuur ook mooi, hoor!'

'Goed zo! Laten we er onderweg dan maar van genieten. Kijk, verderop zie je de eerste kieviten al buitelen.' Al vlug hebben ze het meer en de bosrand achter zich gelaten en rijden door het open veld. In het midden van het pad lopen twee grasstroken waartussen het paard zich in een rustige galop voortbeweegt. Het is een zacht pad en veel herrie maken ze dus niet. Toch klinkt er al een waarschuwings-kreet van een mannetjeskievit. Thomas laat het paard even stoppen.

'Hier vlakbij moet een nest zitten,' weet hij. 'Zolang het

vrouwtje durft blijft ze op haar vier groen gespikkelde eieren zitten, maar let op! Het zal niet lang meer duren of ze komt tevoorschijn.' En Thomas krijgt gelijk. Intuïtief voelt het vrouwtje dat er gevaar dreigt en in gebukte houding met de kop vooruitgestoken verlaat zij zo snel mogelijk het nest om zo'n twintig meter verderop pijlsnel omhoog te vliegen en onder wilde buitelingen en dolzinnige zwenkingen een schel gekrijs aan te heffen.

Als op commando schieten er van alle kanten kieviten en andere vogels krijtend en snaterend de lucht in. In roekeloze vlucht gieren de bonte vogels langs hun hoofd, om telkens terugkerend schijn- op schijnaanval te wagen.

'We zullen die beestjes maar met rust laten,' vindt Thomas en klakt met zijn tong waarop de merrie zich weer in beweging zet. Maar ze zijn nog geen honderd meter verder als er nieuwe onrust onder de vogels ontstaat.

Met krachtige wiekslag, dicht achter elkaar, komen de zwarte rovers aansnellen. Aan hun donkere, blauw omrande ogen ontgaat niets en als zij de broedende kievit ontdekken, trekken zij tegelijkertijd de kleppende vleugels in. Nu eens laag over de grond scherend, dan weer zich hoog verheffend omcirkelen zij onder rauw gekrijs het nest en ondernemen aanval op aanval op de broedende vogel. Deze is niet bevreesd voor de kraaien, die het op haar eieren gemunt hebben. In haar groeit echter de vijandschap; de kuif zet zich dreigend op, de veren zetten uit en een onheilspellend blazen houdt de kraaien op een afstand. Op het weiland neergestreken en het nest van weerskanten naderend, trachten zij op deze wijze de kievit van de eieren te verdrijven.

Aanvallen en wijken volgen elkaar snel op en in een onbewaakt ogenblik maakt een van de rovers kennis met de spitse sneb van de kievit.

Steeds heviger worden de aanvallen en de in het nauw gebrachte vogel draait zich nu naar de een om zich dan weer door een plotselinge wending tot de ander te richten.

Zich verwerend met vleugels en snavel beschermt de kievit een tijdlang haar eieren, doch als zij, haar voorzichtigheid vergetend, zich op een van de kraaien werpt en daardoor het nest een ogenblik verlaat, ziet de andere rover het gewenste moment gekomen en rooft pijlsnel een van de eieren. Vlug vliegt hij er mee weg om het onder de ogen van Thomas en Toon te verslinden. En hetzelfde herhaalt zich tot het laatste ei verdwenen is.

'Nou hadden wij de eieren net zo goed zelf kunnen pakken,' concludeert Toon, maar Thomas schudt zijn hoofd.

'Ik heb gezegd dat we de natuur niet mogen verstoren. Die kraaien behoren ook tot de natuur en hun natuurlijke drang volgend pikken ze alle soorten voedsel die ze maar vinden kunnen.'

'Maar wij moeten toch ook eten,' wil Toon zijn gelijk en dan gaat Thomas daar maar niet verder op in en spoort zijn paard aan er de pas in te zetten, want het is nog een aardig eindje naar De Eikenhorst, het buiten van zijn gefortuneerde klant.

HOOFDSTUK 2

'Kijk daar ligt het doel van onze reis,' zegt Thomas als ze bij De Eikenhorst, de fraaie behuizing van Charles van Dijssel, aankomen.

'Zie nou toch hoe voornaam deze prachtige buitenplaats zich te midden van in een groene waas gehulde bomen-pracht verheft,' geeft Thomas op poëtische wijze uiting aan zijn bewondering voor hetgeen hij ziet.

'Wat zeg je nou allemaal?' vraagt Toon, maar Thomas hoort hem niet. Hij is helemaal in de ban van het schoons dat hij aanschouwt. Zijn schildershart ontluikt als de natuur zelf.

'Zie hoe majestueus de prachtige eikenlaan zich als een allee van Middachten uitstrekt tot aan de imposante voor-deur,' fluistert hij en hij let niet meer op zijn jonge metge-zel.

'Je kunt net zo goed Frans tegen me praten, want ik snap echt niet wat je allemaal zegt,' moppert Toon. Hij weet dat zijn kunstzinnige vriend in vervoering kan raken als hij iets moois ziet, maar wat is er nou mooi aan zo'n bakbeest van een huis?

'Neem me niet kwalijk, Toontje,' lacht Thomas. 'Ik kan er niets aan doen dat ik altijd onder de indruk kom van deze prachtige buitenplaats en vooral van de omgeving. Het geheel doet de dichter in mij ontwaken.'

'Het zal best, maar snappen doe ik het nog steeds niet.'

'En je verstaat ook geen Frans. Dat wordt lastig, jongen, want met de vrouw van mijn klant, mevrouw Thérèse van Dijssel-Dourcelle, spreek ik vaak Frans. Zij komt uit Wallonië.'

'Spreek jij ook al Frans, Thomas?' Toon krijgt steeds meer bewondering voor zijn grote vriend.

'Als jij van de HBS af komt spreek je ook Frans. Het is een mooie taal, hoor! Mocht je er op school moeite mee krijgen, dan wil ik je graag helpen. Houd jij het paard even vast dan zal ik aanbellen.'

Toon schrikt van het galmende geluid van de zware bel in de grote hal van het huis, maar Thomas vertrekt geen spier van zijn gezicht. Ook niet als een statige huisknecht hem met een buiging begroet. 'Welkom, meneer De Zwaan; kan ik u ergens mee helpen?'

'Goedemorgen, John. Ja, je kunt me even helpen met een krat uit het rijtuig halen. Ik kom het door mevrouw bestelde schilderij brengen.'

'Ik ben geheel tot uw dienst, meneer De Zwaan.' Met de slippen van zijn jas achter zich aan wapperend, snelt John naar het rijtuig en draagt de krat met het schilderij erin naar de hal. 'Zal ik de stalknecht vragen uw paard te verzorgen of zorgt uw knechtje daarvoor?' John knikt in de richting van Toon, maar Thomas schudt zijn hoofd.

'Nee, John. Die jongen is mijn knechtje niet, maar mijn grote kleine vriend Toon Koetsier. Roep de stalknecht maar dan kan Toon mee naar binnen.'

De begroeting met de familie Van Dijssel is allerhartelijkst en Toon krijgt het een beetje benauwd van alle deftigheid en als hij de conversatie tussen Thomas en mevrouw beluistert, beseft hij dat hij nog heel wat zal moeten leren om aan zo'n gesprek in het Frans te kunnen deelnemen. Maar het valt mee, want mevrouw Van Dijssel begroet hem in het Nederlands, zij het met een erg zuidelijk accent.

En dan is er nog iemand in de ruime en stijlvol ingerichte salon. Toon kan zijn ogen niet geloven. Het is een meisje van ongeveer zijn eigen leeftijd en zij ziet eruit als een prinsesje. Heel chic gekleed met hoge rijglaarsjes en ze is ook erg knap. Een hemelsbreed verschil met de meisjes van het dorp. Zij begroet Thomas heel innig door hem op beide wangen te kussen. 'Dag ome Thomas,' zegt ze, 'wie hebt u meegebracht?'

'Dat is Toon Koetsier, Ilse. Hij woont op hoeve De Bok waar je vader wel eens een paard koopt.'

'O, wat leuk!' En zich tot Toon wendend: 'Dan zul jij wel verstand van paarden hebben. Kom even mee dan zal ik je mijn paard laten zien. Hij staat op stal.'

'Maak je kleren niet vuil, Ilse,' waarschuwt haar moeder, maar Ilse luistert nauwelijks. Ze trekt Toon mee en holt voor hem uit naar de stal. 'Kijk, dat is hem,' zegt ze, hem een van de paarden die de familie rijk is, aanwijzend.

'Een Hack,' concludeert Toon en Ilse knikt. 'Ik wist wel dat je verstand van paarden hebt,' kirt ze.

'Ik weet dat het een Hack is, maar echt verstand heb ik er niet van, hoor!' zwakt Toon de enthousiaste uitroep van het meisje af. Wel is hij blij dat ze over iets kunnen praten waar hij wat van weet, want hun belevingswerelden zullen wel erg ver uiteen liggen.

'Heb jij een eigen paard, Toon?'

'Nee, wat moet ik met een paard doen? Wij kopen paarden in en verkopen ze dan weer.'

'O! Ik moet er niet aan denken dat mijn paardje verkocht wordt. Weet je, ik ben gek op paardrijden. Misschien kunnen we samen eens gaan rijden als je weer eens met ome Thomas mee komt.' Ze kijkt hem met haar mooie ogen verwachtingsvol aan en Toon knikt dan maar. Hij weet zichzelf niet zo goed een houding te geven, maar hij is wel erg onder de indruk van het knappe en deftige meisje. Bij haar vergeleken voelt hij zich maar een lompe boer.

'En, kun je het nogal vinden met Ilse?' vraagt Thomas lachend als ze samen weer op de bok van het rijtuig huiswaarts keren. Hij heeft de wat verwarde blik in de ogen van de jongen gezien toen Ilse hem mee naar buiten trok. Een kittig ding die Ilse, met haar mooie koppie en ranke figuurtje.

'Ik geloof dat ze het gek vindt dat ik geen eigen paard heb terwijl we er een heel stel op stal hebben staan.'

'Zij is enig kind en een beetje verwend, Toon. Maar vind je haar niet leuk?'

'Ja, het is net een prinsesje. Ze is niet te vergelijken met de boerenmeiden van het dorp en trouwens, bij haar vergeleken voel ik mezelf ook maar een lomperik.'

'Welnee, dat denk je maar; zij zeker niet, want ze palmde je meteen in toen ze je zag.'

'Misschien heb je gelijk. Als ik weer een keer kom wil ze met me gaan paardrijden.'

'Heb je daar zin in?'

'Dat is toch niks voor mij met zo'n deftig meisje.'

'Je hebt dus gezegd dat je het niet doet.'

'Nee, dat niet. Ik heb maar geknikt toen ze het voorstelde.'

'Dan zit je eraan vast, jongetje. Met haar charme heeft ze je gestrikt in haar netten.' Thomas slaat zich op de knieën van plezier. Jongens in de leeftijd van Toon voelen zich doorgaans niks waard en vaak, zoals Toon het formuleert, als een lomperik, zeker bij zo'n mooi meisje als Ilse. Zo jong als ze is speelt Ilse al een geraffineerd spelletje, want Toon is een frisse, stevige en knappe knul en lomp is hij allerminst. Daar komt bij dat het kind op die afgelegen buitenplaats niet veel vertier heeft. Als ze dan eens een leeftijdgenoot tegenkomt, legt ze daar meteen beslag op.

'Ik neem aan dat je voorlopig geen plannen hebt om naar De Eikenhorst te gaan,' veronderstelt Toon als ze thuis zijn, maar Thomas haalt zijn schouders op.

'Zodra ze weer iets nodig hebben of als ik iets tegenkom wat interessant is voor mevrouw, dan ga ik.'

'O.'

Of dat woordje 'o' teleurstelling dan wel opluchting uitdrukt weet Thomas niet en hij vraagt er wijselijk ook maar niet naar. De tijd zal wel leren wie van de twee als eerste afhaakt.

'Wat loop je te zuchten, Arie, moeilijkheden?' Gerrit Kooistra, die al meer dan veertig jaar knecht is op de Adehoeve, kijkt zijn baas, Arie Kootwijk, met een vragende blik aan. Ze zijn samen bezig met het repareren van wat afrasteringen. Het is een prachtige voorjaarsdag en de natuur heeft allengs haar grauwe wintersluier afgeschud.

Bomen en heesters rondom de kapitale Adehoeve vormen een kleurrijk contrast met het kleurloze rieten dak van de boerderij en de kap van de hooiberg. Die kap is ver naar beneden gedraaid, want de vele koeien hebben in de voorliggende maanden driekwart van het hooi verorberd. Nu lopen ze weer vredig te grazen in de uitgestrekte weilanden die de hoeve omringen.

Een plaat die ingemetseld is in de voorgevel van de Adehoeve, vermeldt dat de eerste steen gelegd is door ene Jaap Kootwijk in het jaar 1743. De hoeve is dus al ruim honderdvijftig jaar oud en al vanaf het begin is hij dus bewoond door een voorvader van de huidige boer. De Adehoeve is echter niet de oudste hoeve van het dorp, maar wel een van de grootste met het meeste land. Zolang de dorpelingen zich kunnen herinneren was een Kootwijk voorzitter, of minstens bestuurslid van de belangrijkste verenigingen van het dorp.

Toen Gerrit Kooistra als achttienjarige werd aangenomen door de opa van de huidige boer was hij trots, want tweede knecht bij boer Kootwijk was een benijdenswaardige positie. Niet in de laatste plaats omdat die boer een aardige kerel was en veel invloed had in het dorp.

Er is sedertdien niet veel veranderd, want Arie Kootwijk is ook een aardige kerel en hij bezet belangrijke bestuursposten. Maar Arie heeft niet veel geluk gekend in zijn leven. Gerrit kent hem vanaf zijn geboorte en heeft altijd een sterke band met hem gehad. Als kind zocht Arie al troost bij hem als hem onrecht aangedaan was en dat gebeurde nogal eens, want hij was zachtaardig en had niet de moed flink van zich af te bijten. Zo had hij ook niet de moed te weigeren toen zijn vader hem opdroeg werk te maken van Alie Kruining, dochter van de rijkste boer van het dorp. Een beste partij volgens de boerenbegrippen, maar niet voor Arie. Alie was een haaibaai en qua karakter de tegenpool van Arie. Meer dan eens heeft hij bij Gerrit zijn nood geklaagd, maar wat moet je zeggen als eenvoudige knecht.

Hem troosten door een aai over zijn bol en een babbelaar van zijn vrouw Anna, zoals vroeger, kon niet meer.

De geboorten van de twee jongens Jaap en Hein waren lichtpunten in het leven van de jonge boer, maar toen de derde geboren moest worden, stierf Alie, samen met het kind, in het kraambed. Arie bleef achter met twee jongetjes van respectievelijk acht en zes jaren oud.

'Wat moet ik daarop zeggen, Gerrit,' reageert Arie op de vraag van zijn knecht. 'Moeilijkheden is te veel gezegd, maar als je me vraagt of ik in mijn eentje met twee opgroeiende jongens gelukkig ben, dan voel jij wel aan dat dat niet zo is. Alie is al vijf jaar dood en ik voel me eerlijk gezegd veel te jong om alleen verder te gaan. Maar jij kent me lang genoeg om te weten dat ik niet zo vlot met de vrouwtjes ben.'

'Dat weet ik, maar als je wilt hertrouwen zal het initiatief daartoe toch van jou uit moeten gaan. Heb je al iemand op het oog?'

'Ja, wat moet ik daar nou weer op zeggen? Ik weet niet of zij al aan hertrouwen toe is en of ze iets voor mij zou kunnen voelen.'

'Daaruit leid ik af dat je wel degelijk iemand op het oog hebt. Wie is het, Arie?'

'Truitje Koetsier, maar praat er met niemand over, Gerrit.'

'Nee, natuurlijk niet. Heb ik ooit gekletst als je mij een geheim toevertrouwde? Je moet je problemen niet voor jezelf houden, maar er met iemand die je kunt vertrouwen over praten.'

'Ik vertrouw jou, Gerrit; daarom vertel ik het je ook. Wat denk jij?'

'Dat jij en Trui een prima span zouden vormen. Als ik me niet vergis zijn jullie ongeveer even oud. Ik ben wel een ouwe kerel, maar ik zie nog wel dat de weduwe van Han Koetsier nog een erg aantrekkelijke vrouw is.'

'Niet alleen aantrekkelijk, maar ook erg lief.'

'Nou je dat zo zegt herinner ik me dat jij mij als jonge knul een keer toevertrouwde dat je verliefd was op Truitje van Haestregt, de dochter van de kalverkoopman.'

'Dat was ik ook, maar ik durfde haar niet te vragen want ik merkte dat Han Koetsier een veel grotere kans bij haar maakte. Bovendien was ik ervan overtuigd dat mijn vader mij nooit toestemming zou geven met Truitje te trouwen.'

'Je bent nu eigen baas, Arie. Ga naar haar toe en vraag haar gewoon. Nee heb je en ja kun je krijgen.'

'Maar voor een 'nee' ben ik juist zo bang, Gerrit.'

'Ja, zo kom je geen stap verder, jongen.' De oude knecht schudt zijn hoofd en gaat door met het repareren van de afrastering tot de kerkklok twaalf slagen laat horen. Dan sloft hij naar het daggeldershuisje dat op een steenworp afstand van de hoeve staat.

'Ga alvast maar aan tafel, Gerrit; alles staat klaar maar ik moet de aardappels nog even opschudden,' zegt Anna, de vrouw waarmee Gerrit al zo'n vijfendertig jaar getrouwd is. Ze zijn nog maar samen, want hun zoon en dochter zijn al geruime tijd geleden getrouwd en wonen in een aangrenzend dorp. In haar kleine huisje heeft Anna de boel altijd vlug aan kant en dus heeft ze tijd over om Neeltje Bens, de meid op de Adehoeve, te helpen en daarmee nog een extra centje te verdienen. 'Een spaarpotje voor onze ouwe dag' zegt ze vaak tegen haar man. Gerrit vindt het best. Hij komt niets tekort en hun huisje ziet er altijd schoon en gezellig uit. Het is geen vetpot, maar weelde en luxe zijn ze niet gewend en dus missen ze die ook niet.

'Arie liep vanmorgen weer zo te zuchten,' zegt Gerrit tijdens het eten. 'Hij wil niet alleen blijven, maar de vrouw die hij op het oog heeft, durft hij niet te vragen.'

'Net wat voor Arie,' concludeert Anna. 'Wie heeft hij op het oog?'

'Dat mag ik eigenlijk niet zeggen, Anna.'

'Van wie mag dat niet?'

'Van Arie.'

'Sinds wanneer heb je voor mij geheimen?'

'Je hebt gelijk, meissie; neem me niet kwalijk. Arie zou graag hertrouwen met Truitje Koetsier.'

'Met Truitje? O, dat is zo gek nog niet; die zit in hetzelfde schuitje als Arie.'

'Weet je dat Arie vroeger, voordat hij verkering kreeg met Alie Kruining, gek was op Truitje?'

'Ik meen dat je het daar jaren geleden wel eens over gehad hebt. Is dat nog zo?'

'Als je het mij vraagt is het nooit anders geweest. Hij was getrouwd met Alie, maar met zijn gedachten was hij nog vaak bij Truitje, tenminste hij had het vaak over haar.'

'Weet jij hoe Truitje over Arie denkt?'

'Nee en Arie weet dat zelf ook niet, want hij durfde haar toen niet te vragen en nu weer niet.'

'Waarom dan niet? Arie is toch een aardige knul en Truitje past beter bij hem dan Alie destijds.'

'Arie is bang dat Truitje hem niet moet.'

'Dat schiet dan ook niet op.'

'Net wat je zegt. Daarom heb ik hem geadviseerd gewoon naar Truitje toe te gaan en haar te vragen. Ik ben benieuwd wat hij gaat doen.'

Wat gaat Arie doen? Als hij die avond in zijn bed ligt kan hij de slaap niet vatten. 'Ga naar haar toe en vraag haar gewoon,' zei Gerrit. Was het maar zo eenvoudig. Toch is hij blij over zijn probleem met de ouwe knecht gesproken te hebben. Had hij eigenlijk al veel eerder moeten doen. Vroeger bleef hij niet zo lang met zijn problemen rondlopen, maar vroeg hij Gerrit om raad. Met Gerrit kon hij beter praten dan met zijn eigen vader. Al zijn geheimen vertrouwde hij de knecht toe.

Gerrit vindt dat hij en Truitje een prima span vormen. Een aantrekkelijke vrouw noemt hij haar. Nou, dat is ze zeker, én lief. Ze zijn beiden nog jong en hebben dus nog een heel leven voor zich. Wat zou het heerlijk zijn als het meisje waar hij altijd verliefd op geweest is, zijn vrouw zou worden. Een meisje is ze natuurlijk niet meer. Ze is inmiddels vijfendertig, net als hij, maar ze ziet er eigenlijk jonger uit. Fris en knap was ze als jong meisje en dat is ze nog steeds. Liever was hij met haar dan met Alie getrouwd, maar dat mag hij eigenlijk niet denken. Ze was de moeder van zijn twee kinderen. Als hij doet wat Gerrit voorstelt en naar Truitje gaat om haar te vragen zijn vrouw te worden, moet hij er dan niet eerst met zijn kinderen over praten? Nee, die zijn daar te jong voor. Als Truitje akkoord zou gaan dan is het nog tijd genoeg de kinderen, ook die van Truitje, erbij te betrekken. Maar hertrouwen is wel een grote stap. Kan hij het initiatief daartoe helemaal in zijn eentje nemen? Kan hij zijn schoonvader, Cor Kruining, voor een voldongen feit plaatsen? Zijn eigen vader kan hij niet meer om raad vragen, want die is dood. Voordat hij inslaapt heeft hij besloten een dezer dagen naar zijn schoonvader te gaan.

'Je treft het, want moeder heeft net verse koffie gezet,' zegt Cor Kruining nadat hij zijn schoonzoon begroet heeft. 'Kom je zomaar je gezicht weer eens laten zien of heb je iets op je lever?'
'Ik wil hertrouwen, vader.'
'Zo! Dat is niet niks. En nou kom je mij om toestemming vragen, neem ik aan.' Cor Kruining is de grootste boer van het kleine dorp aan de Adevaart en hij is eraan gewend dat zijn haan koning kraait. In zijn directe omgeving worden beslissingen van enig belang nooit zonder zijn goedkeuring genomen.
'Toestemming is nou niet direct aan de orde; ik wil alleen geen beslissing nemen zonder u daarvan vooraf in kennis gesteld te hebben.'
'Wat ben je van plan?'
'Zoals ik zei, ik wil hertrouwen.'
'Ja, dat heb ik begrepen, maar met wie?' De oude boer kijkt

de man van zijn overleden dochter met een strenge blik aan. Zijn antwoord dat toestemming niet aan de orde is, bevalt hem niet zo.

'Met Trui, de weduwe van Han Koetsier.'

'O, die! Dat is toch de dochter van Gijs van Haestregt, de kalverkoopman.'

'Ja, dat is ze. U kijkt zo bedenkelijk.'

'Het zaakje van Gijs stelde niet zoveel voor en haar overleden man bracht ook niet veel geld in. Draait haar vee- en paardenhandel nog een beetje?'

'Ik geloof van wel.'

'Je gelooft het, maar je weet het niet zeker. Dan weet je waarschijnlijk ook niet over welk kapitaal Trui kan beschikken.'

'Nee, dat weet ik niet, vader, en eerlijk gezegd interesseert het me ook niet. Het gaat mij om Truitje; het is een knap en lief vrouwtje.'

De stugge oude boer kijkt zijn schoonzoon hoofdschuddend aan en zegt het jammer te vinden dat diens vader niet meer leeft. 'Bij de keuze van een vrouw gaat het nog steeds om de centen, jongen; een mooi koppie of een leuk figuurtje doet er niet toe, zeker niet op jouw leeftijd.'

Op weg naar huis denkt Arie na over hetgeen besproken is en hij heeft daar een naar gevoel aan overgehouden. Uit beleefdheid is hij de oude boer gaan informeren en wat krijgt hij als reactie? Hem wordt de les min of meer gelezen. Bij zijn keuze mag hij er niet op letten of het een leuk vrouwtje dan wel een harkerige tang is. Altijd het oude liedje: als de centen maar goed zitten. Jammer vindt die stugge ouwe boer het dat zijn vader niet meer leeft. Dat vindt hij zelf ook, maar hij heeft weinig waardering voor de koppelzucht van beide mannen. Hij moest trouwen met een meisje waar hij niets om gaf. Maar gelukkig heeft die ouwe Cor Kruining niets meer te zeggen over zijn keuze van nu. Als Truitje ingaat op zijn aanzoek, wat hij vurig hoopt, zal hij de gelukkigste man van het dorp zijn. Uitstel is zinloos. Hij volgt het advies van een andere ouwe man, voor wie geld geen rol speelt, op en gaat Truitje gewoon vragen. Nee heeft hij al en ja kan hij krijgen.

'Is Trui in huis, Tinus?' vraagt Arie als hij de volgende morgen, na een halfdoorwaakte nacht, het erf van hoeve De Bok op loopt.
'Ja, Trui is binnen, maar als je vee wilt kopen of verkopen kan ik je ook helpen, hoor!'
'Nee, nee, het gaat niet om vee,' lacht Arie een beetje zuinig, want hij is erg gespannen, maar dat wil hij Tinus Groot niet laten merken.
Terwijl Arie het achterhuis in loopt, krabbelt Tinus zich eens onder zijn pet. Het bevalt hem niks dat de grote boer van de Adehoeve op Truitje af komt. Als hij niks wil kopen of verkopen wat doet hij dan binnen? Voor een jonge weduwnaar, want dat is Arie Kootwijk, is Truitje een aantrekkelijke partij. Zij is ook nog jong en ziet er goed uit. Nadeel is wel dat ze al twee kinderen heeft, maar die heeft Arie ook. Voor hemzelf zijn die twee kinderen nooit een bezwaar geweest. Al sinds de dood van Han werkt hij zich uit de naad voor Trui en hij heeft haar ook al meer dan eens laten merken dat hij de plaats van haar overleden man graag in zou nemen, maar ze reageert niet. Zou ze wel reageren als die boer met zijn vette beurs haar een aanzoek doet? Maar wat zou ze dan met haar bedrijf aan moeten? Verkopen? Geld om het bedrijf van haar over te nemen heeft hij niet, want hij verdient maar een bescheiden loon. Zijn kracht ligt in zijn kennis van paarden en in de omgang met klanten. Het moet haar toch wat waard zijn op haar eigen bedrijf te blijven en haar kinderen een stiefvader te geven die ze al vanaf hun geboorte kennen. Van knecht naar baas is voor hem niet zo'n grote stap, maar van vrijgezel naar getrouwde man zou een enorme verbetering betekenen. Man van Truitje is een langgekoesterde wens van hem.

Zou die stille boer nou roet in het eten komen gooien? Hoofdschuddend gaat hij weer aan het werk, want hij vreest het ergste.

Intussen is Trui het achterhuis in gelopen om de bezoeker te begroeten. Ze heeft hem al zien komen en zag hem praten met Tinus. Zou hij met een persoonlijke boodschap komen? Ze is ineens gespannen, maar zo te zien Arie ook. Hij is in al die jaren niet veel veranderd. Als een verlegen jongen staat hij met de pet in zijn handen te draaien en weet kennelijk met zijn houding geen raad.
'Ik heb verse koffie, doe je een bakkie mee, Arie?' probeert ze hem een beetje op zijn gemak te stellen. 'Of heb je geen tijd?'
'Ja, hoor! Ik heb tijd genoeg.'
'Ga zitten, dan schenk ik de koffie in.' Terwijl ze daarmee bezig is zit de jonge boer rusteloos te draaien op zijn stoel en kijkt haar een beetje schuchter aan. 'Ik hoop niet dat je met een nare boodschap komt, Arie,' helpt ze hem op gang en dat lukt.
'Nee, dat is te zeggen, voor mij geen nare boodschap, maar misschien voor jou wel.'
'Je maakt me nieuwsgierig.' Dat was Trui al toen ze hem van achter het raam het erf op zag lopen. Haar hart ging sneller kloppen, want als ze al aan hertrouwen dacht, kwam altijd het beeld van Arie Kootwijk haar voor ogen. De jongen die haar vroeger altijd al met een verliefde blik aankeek, maar die de moed kennelijk niet had om haar te vragen. Ze vond hem aardig, veel aardiger dan andere jongens behalve dan die ene vrolijke knul, Han Koetsier. Met hem trouwde ze en Arie trouwde, waarschijnlijk door zijn vader gedwongen, met Alie Kruining. Een naar en brutaal meisje dat helemaal niet bij de zachtaardige Arie paste.
Er zijn overeenkomsten tussen haar en Arie. Beiden trouwden in hetzelfde jaar, ze kregen beiden twee kinderen en in hetzelfde jaar overleden hun levenspartners. Dat lot brengt

hen nu misschien weer samen. Ze zal hem niet teleurstellen als hij haar een aanzoek doet.

'Je koffie is lekker, Truitje,' zegt Arie om tijd te rekken.

'Dank je voor het compliment, Arie, maar welke nare boodschap heb je voor me?'

'Je weet dat ik al vijf jaar weduwnaar ben en het valt me steeds zwaarder alleen te zijn. Ik heb twee kinderen en ik heb aanspraak aan Neeltje, onze meid, en ook, of liever gezegd vooral, aan Gerrit Kooistra, onze knecht. Met hem kan ik vertrouwelijk praten; dat deed ik als kind al.'

'Wat bespreek je dan zoal met Gerrit, Arie?'

'Dat het alleenzijn mij steeds zwaarder valt en dat ik een lieve vrouw ken…'

'Die je niet durft te vragen,' vult Trui aan. Ze weet nu wel zeker dat de grote boer van de Adehoeve een wat stuntelige poging doet haar het hof te maken.

'Ja, dat is zo.' Arie veegt met een grote rode zakdoek zijn voorhoofd af, want hij krijgt het een beetje benauwd.

'Waarom durf je dat niet, Arie?'

'Omdat ik bang ben dat jij, want jij bent die lieve vrouw die ik bedoel, niets voor mij voelt.'

'We zitten samen in hetzelfde schuitje, Arie. Ook ik voel me vaak erg alleen en na vijf jaar ben ik ook wel toe aan verandering.'

'Aan hertrouwen bedoel je?'

'Ja.'

'Maak ik een kans, Truitje?' In de blik waarmee hij haar aankijkt ziet Trui hoop, verwachting, onzekerheid en vooral liefde.

'Natuurlijk maak jij een kans, jongen.'

'O, gelukkig!' Arie leunt achterover in zijn stoel en het lijkt wel of alle spanning van hem af valt.

'Heb je al met iemand over ons gesproken?'

'Ja, met Gerrit, maar dat had je waarschijnlijk al begrepen.'

'En die gaf jou het laatste zetje om met mij te gaan praten veronderstel ik.'

'Ja, en ik ben blij dat ik zijn advies opgevolgd heb. Uit beleefdheid heb ik ook mijn schoonvader, Cor Kruining, ingelicht.'

'Hoe reageerde die?'

'Het oude liedje. Ik vertelde hem dat ik jou lief en knap vind.'

'O, vind je dat?' Trui krijgt er een kleur van en Arie, die dat opvalt, legt zijn hand op de hare en streelt die zacht.

'Ja, dat vind ik, maar op die ouwe boer maakt dat geen indruk. Hij praat alleen over geld en bezittingen. Hij en mijn vader waren de grootste boeren van het dorp en daarom ook ben ik aan Alie gekoppeld. Een eigen keuze was er toen niet bij. Nu ben ik gelukkig eigen baas en dat heb ik hem duidelijk gemaakt ook.'

'Wat had je gedaan als je vroeger had kunnen kiezen, Arie?'

'Dat doet er niet zoveel meer toe, Truitje. Jij gaf de voorkeur aan Han en toen kon het mij eigenlijk niet meer zoveel schelen.' Wie hij uit eigen vrije wil gekozen zou hebben is voor Trui wel duidelijk als ze ziet met welke liefdevolle blik hij haar aankijkt. Het ontroert haar. Zelf had ze de vrije keuze en Han was haar grote liefde. Ze is hem nog lang niet vergeten, maar als ze definitief 'ja' zegt tegen Arie Kootwijk krijgt ze wederom een lieve man die van haar houdt. Nu hij een kleur van opwinding heeft ziet hij er veel jonger uit dan hij in werkelijkheid is. Vijfendertig is hij, net als zij. Jong genoeg om nog een lang en gelukkig leven samen te hebben.

'Heb je enig idee hoe je kinderen erop zullen reageren als wij het eens worden, Arie?'

'Dat weet ik niet, want ze weten natuurlijk nog nergens van, maar dat geldt ook voor jouw kinderen.'

'Praat erover met je kinderen, Arie, dan doe ik het ook.'

'Betekent het dat wij het in principe eens zijn, Truitje?'

'Zeker, maar ik wil het allemaal even laten bezinken en de mening van mijn kinderen vragen. Kom donderdag terug, want dan weet ik meer en kunnen we bijzonderheden bespreken.' Ze steekt hem haar hand toe en als hij die grijpt kust ze hem op beide wangen. Dan durft hij haar even innig tegen zich aan te drukken terwijl hij haar terugkust. Hij voelt zich kilo's lichter als hij op de tilbury stapt om naar huis te rijden.

'Wat kwam boer Kootwijk dan doen, moe?' wil Toon weten. Het is hem opgevallen dat de boer van de Adehoeve een poos bij zijn moeder binnen heeft zitten praten. Dat komt nooit voor. Boeren en handelaren die langskomen, praten meestal met Tinus en soms met Frans.
'Als je dat graag wilt weten moet je Lientje maar even roepen, dan zal ik het vertellen.'
'Lien! Moe wil ons wat vertellen, kom even,' roept Toon zijn zusje en als die in de kamer is zegt moeder Trui dat ze maar even moeten gaan zitten. Ze vindt het een moeilijk onderwerp om met de kinderen te bespreken en vooral hoe te beginnen. Het initiatief is uitgegaan van Arie, dus besluit ze het eerst maar over hem te hebben.
'Boer Kootwijk is weduwnaar, maar dat weten jullie wel. Net als ik is hij al vijf jaar alleen en wil hertrouwen.'
'Met jou?' Toon zit op het puntje van zijn stoel, want hij voelde meteen al aan dat moeder iets bijzonders te vertellen heeft.
'Wacht nou even, Toon.' Het komt haar niet zo goed uit dat haar zoontje meteen tot de kern van haar betoog doordringt. Zij wil haar kinderen voorzichtig voorbereiden op de ingrijpende gebeurtenis in hun leven, dus gaat ze verder. 'In het gezin van boer Kootwijk ontbreekt een moeder en in ons gezin ontbreekt een vader. Als wij de twee gezinnen samenvoegen hebben alle vier de kinderen weer een vader en een moeder of, liever gezegd, dan heeft de ene helft een stiefvader en de andere helft een stiefmoeder, want je echte vader of moeder krijg je er natuurlijk niet mee terug.'
'Wil jij gaan trouwen met boer Kootwijk, moe?' Lientje kijkt

haar moeder met grote ogen aan.

'Ik vind boer Kootwijk een heel aardige man, maar ik heb met hem afgesproken dat ik eerst met jullie praat voordat ik een definitieve beslissing neem.'

'Gaan we dan allemaal in hetzelfde huis wonen?' vraagt Lientje en als haar moeder knikt kijkt ze heel bedenkelijk. 'In één huis met die pestkop van een Hein Kootwijk?'

'Niet alleen met Hein, maar ook met Jaap,' vult Toon aan en ook hij kijkt er niet vrolijk bij. 'Waar zouden we dan gaan wonen, moe? Hier of op de Adehoeve.'

'Wat een vragen allemaal; daar hebben we het nog niet eens over gehad, maar ik denk op de Adehoeve.'

'O.' Met bleke snoetjes kijken de twee haar aan en Trui begint te twijfelen. Ze kent de kinderen van Arie niet echt goed, maar uit de verhalen van haar eigen kinderen leidt ze af, dat die twee waarschijnlijk aarden naar hun overleden moeder, want Arie was altijd een zachte, vriendelijke en wat verlegen jongen op school, terwijl Alie een kattenkop was.

'Moet ik dan voor de rest van mijn leven alleen blijven?' Trui vindt het erg dat haar kinderen zo negatief reageren, maar erger nog vindt ze het Arie te moeten zeggen dat het niet doorgaat.

Toon is wat ouder dan zijn zusje en hij ziet aan het gezicht van zijn lieve moeder dat zij teleurgesteld is door hun reactie. 'Wil je graag met boer Kootwijk trouwen, moe?' vraagt hij dan ook.

'Ja, dat wil ik graag, jongen, want Kootwijk is een lieve man en voor jullie zal hij ook erg goed zijn. Jij weet toch ook wel hoe hij is.'

'Ik vind de boer een aardige kerel, maar die jongens van hem zijn van die etters, vooral Jaap. Maar alles wordt misschien anders als we allemaal in één huis wonen. Weet jij trouwens hoe die jongens erover denken?'

'Zoals ik het met jullie bespreek, zo bespreekt de boer het met zijn kinderen. Donderdag komt hij terug en hoor ik het.'

'Dan pas nemen jullie dus definitief een beslissing.'
'Ik denk het wel.'
'Fijn dat je er eerst met ons over gepraat hebt, moe, maar je moet doen wat je denkt dat goed is, hoor!'
'Vind jij dat ook, Lientje?' En als Lientje zuinig knikt, slaat Trui haar armen om haar twee kinderen heen en lopen de tranen van ontroering over haar wangen. Ook Lientje moet haar ogen drogen, maar Toon vermant zich en aait zijn moeder liefdevol over haar rug. Dan maakt hij zich los uit haar omarming en loopt naar de deur, want hij is bang dat ook hij zijn emoties niet de baas kan blijven. Maar voordat hij naar buiten gaat drukt moeder Trui hem en Lientje nog op het hart er met niemand over te praten. Ook niet met Jaap en Hein Kootwijk.

'Zit jou iets dwars, Toon?' Thomas de Zwaan kijkt zijn jonge bezoeker met een vorsende blik aan. De kleine jongen treedt hem altijd met een open en vrolijk gezicht tegemoet, maar nu kijkt hij bezorgd.
'Waarom vraag je dat, Thomas.' Toon is zich er niet van bewust dat hij anders kijkt dan normaal.
'Omdat je zo beschimmeld kijkt.'
'Hoe ziet dat eruit?' vraagt Toon proestend van het lachen. Beschimmeld, hoe komt die rare Thomas daar nou weer bij.
'Mensen die beschimmeld kijken, hebben een probleem,' verklaart Thomas. Als kunstenaar heeft hij veel mensenkennis, want op de kunstacademie heeft hij bij het portretschilderen geleerd hoe gemoedstoestanden van een gezicht af te lezen zijn. 'Beken het maar eerlijk, Toontje; je maakt je zorgen om iets.'
'Hoe je het ziet weet ik niet, maar het klopt wel.'
'Wat is er dan?'
'Daar mag ik niet over praten van mijn moeder.'
'Ook niet met mij?'
'Vooral niet met Jaap en Hein Kootwijk.'
'Wie zijn dat?'

'Dat zijn de kinderen van boer Kootwijk die op de Ade-hoeve woont.'

'Heb je ruzie met die kinderen?'

'Ja, ook wel een beetje, maar daar gaat het nu niet om. Ik zal juist moeten proberen de ruzies bij te leggen en goed met die jongens om te gaan.'

'Je spreekt in raadselen, Toon. Als je mij niet in vertrouwen wilt nemen dan zal ik niet verder aandringen, hoor! Maar vaak is het goed je problemen met iemand te bespreken en niet alles op te kroppen.'

'Ken jij de boer van de Adehoeve?'

'Nee, die ken ik niet en ook de twee jongens die jij noemde, niet. Als het over hen gaat loop je dus geen risico dat ik tegen hen ga kletsen.'

'Dan vertel ik je wat me dwarszit, Thomas.' Daarna vertelt Toon zo uitvoerig mogelijk wat zijn moeder hem verteld heeft en Thomas luistert aandachtig. Hij laat hem zijn hele verhaal eerst vertellen voordat hij eropin gaat.

'Dus jij hebt tegen je moeder gezegd dat zij maar moet doen wat zij denkt dat goed is.'

'Ja.'

'Maar niet van harte, begrijp ik.'

'Ik had liever gehad dat we gewoon met ons drietjes op De Bok zouden zijn gebleven.'

'En als jij over 'n jaar of tien het huis uit gaat en je zusje een paar jaar later ook, wat dan? Je moeder in haar eentje laten zitten?'

'Daar heb ik nog niet aan gedacht.'

'Maar je moeder waarschijnlijk wel. Je vertelde dat zij die boer Kootwijk een lieve man vindt; wat vinden jij en je zusje van hem?'

'Wij vinden hem ook een heel aardige man, maar, zoals ik zei, die jongens niet.'

'Als jij van je moeder houdt dan moet je je wat positiever opstellen, Toon. Ze is een lieve vrouw en een goede moeder en dat moet je waarderen.'

'Dat doe ik ook, Thomas, maar ik ben eigenlijk gekomen om je te helpen.'

'Waarmee?'

'Dat weet ik niet, maar mijn ervaring is dat er in je werkplaats of atelier altijd wel wat te doen is.' Toon vindt het atelier met alle schildersspullen erg leuk, maar voorkeur heeft hij toch voor de werkplaats. Helpen bij het opknappen van antieke spulletjes vindt hij prachtig.

'Ja, ik heb wat voor je te doen. Je kunt me helpen bij het inpakken van enkele kristallen vazen.'

'Heb je die verkocht?'

'Nog niet; ik ga ze morgen laten zien aan mevrouw Thérèse van Dijssel, want die is gek op mooi antiek kristal. Heb je soms zin om mee te gaan?'

'Denk je dat Ilse thuis is?'

'Waarom wil je dat weten?'

'Ze heeft me een hele poos geleden voorgesteld samen te gaan paardrijden, maar ik heb nooit meer iets van me laten horen en misschien ben jij er sedertdien ook niet meer geweest.'

'Ja, ik herinner me dat je me dat vertelde en ik beloofde toen je mee te nemen als ik weer zou gaan.'

'Ben je er weer geweest?'

'Ja, enkele maanden geleden en toen heb ik er niet aan gedacht. Ilse was trouwens niet thuis. Ga maar gewoon mee en als ze wil paardrijden met je dan doe je het maar. Ik wacht dan wel op je tot je terug bent, tenminste als je het niet te lang maakt.' Het laatste heeft Thomas met een glimlach gezegd, want hij kent de streken van Ilse. Ze is verwend en dus gewend haar zin te krijgen. Toon vindt ze aardig en dat is nog zacht uitgedrukt. De blik waarmee ze hem opneemt, spreekt boekdelen. Meisjes zijn wat vroeger rijp dan jongens. Zij is een aanhalig katje en Toon is een goedzak, maar, naarmate hij wat ouder wordt, wordt hij ook aantrekkelijker voor een meisje en dat ziet Ilse ook. Van zichzelf weet ze dat ze er erg goed uitziet en dat buit ze ten volle uit.

'Dan ga ik graag mee,' reageert Toon op het voorstel van zijn grote vriend. Met zijn veertien jaren en al een aantal maanden HBS-ervaring achter de rug durft Toon de confrontatie met het mooie meisje wel aan. Zijn boerse kleren heeft hij afgelegd, want de eerste dagen viel hij danig uit de toon op de HBS. Gelukkig had zijn moeder begrip voor zijn klachten en stak ze hem in het nieuw. Hij is lang en vrij fors, waardoor hij wat ouder lijkt dan hij in werkelijkheid is. Meisjes wagen al giechelend een oogje aan hem, maar Toon geeft nog geen sjoege.

'Doe niet zo mal, oom Thomas,' kirt Ilse als Thomas bij aankomst haar handje in de zijne neemt en er een kus op drukt. Ze ziet er weer uit om door een ringetje te halen en wederom is Toon onder de indruk van het mooie meisje.

'Wat zie jij er anders uit dan de vorige keer,' roept Ilse als ze Toon begroet. Ze neemt hem van kop tot teen op en klapt verrukt in haar handen. 'Je bent in die korte tijd veel groter geworden,' constateert ze verbaasd.

'Jij bent niet veel veranderd, hoor!' reageert Toon, maar Ilse trekt een pruillipje en schudt haar hoofd.

'Zie je dan niet dat ik ook nieuwe kleren aan heb?'

'Jij ziet er altijd mooi uit,' stelt Toon haar gerust en dat bevalt Ilse wel.

'Vind je me mooi?' vraagt ze, zich koket op de punt van haar laarsje ronddraaiend, en als Toon knikt pakt ze hem bij zijn arm en herinnert hem eraan dat ze samen zouden gaan paardrijden als hij weer zou komen.

'Maar dan moet je wel andere kleren aantrekken, hoor!' zegt moeder Van Dijssel.

'Wacht hier even, Toon, dan trek ik vlug iets anders aan.' Met fladderende rokken holt ze naar boven om vijf minuten later in ruiterskostuum, compleet met zwart petje en zweepje, terug in de salon te komen. Toon kan zijn ogen niet geloven. Ze heeft een complete metamorfose ondergaan en ze ziet er

zo nog kittiger uit dan in haar jurk met linten en strikken.
'Kan ik zo wel mee in mijn burgerpakkie?' vraagt Toon,
maar ook daarop weet Ilse raad.
'We vragen aan Guus wel een paar rijlaarzen en een petje.'
'Wie is Guus?'
'Dat is onze stalknecht.' Ze roept hem meteen als ze in de
buurt van de paardenstal komen en dat gaat weer op de
gebiedende toon waar Toon zo'n hekel aan heeft. Thuis
worden de knechten als gelijken behandeld, maar hier ken-
nelijk als voetveeg.
'Wat belieft u, jongejuffrouw?' vraagt Guus beleefd.
'Zadel voor mij de Hack en kijk eens of je voor de jongeheer
Toon een paar rijlaarzen en een jockeypetje hebt.'
'Komt in orde. En welk paard kan ik voor de jongeheer
zadelen?'
'Ik pak die Arabier wel, Guus, en ik zadel hem zelf wel,
hoor! Bedankt voor je aanbod.'
'Tot uw dienst,' reageert Guus blij verrast. Het komt kennelijk niet alle dagen voor dat hij op een zo voorkomende
manier behandeld wordt. Hij doet daarom even later ook
graag zijn best om een paar passende rijlaarzen en een pas-
send petje voor Toon te zoeken.
Het is een mooie dag dus rijden ze vervolgens samen met
een rustig gangetje naar het bos dat aan het landgoed van
De Eikenhorst grenst. Het bospad is breed genoeg om naast
elkaar te rijden, zodat ze gezellig met elkaar kunnen keuvelen. Ilse wil vooral weten hoe Toon het maakt op de HBS en
of daar ook meisjes op zitten. Als ze hoort dat het er maar
twee zijn haalt ze opgelucht adem. Ze vindt Toon niet alleen
erg aardig, maar ook knap en zo fors. Zou hij ook sterk zijn,
vraagt ze zich af. Ze bedenkt een list en roept 'ho!', waarop
de Hack gehoorzaam stilstaat. Ook Toon laat zijn paard
stoppen en vraagt wat er aan de hand is.
'Ik wil wat rusten, kun je me er even af tillen, Toon?'
Natuurlijk kan ze zelf wel afstijgen, maar ze wil graag de
sterke armen van haar begeleider om zich heen voelen. En

Toon is daar allerminst te beroerd voor. Hij stijgt af, bindt zijn paard aan een boom en houdt zijn armen gespreid. 'Kom maar,' zegt hij met een glimlach. Hij voelt haarscherp aan waarom Ilse met haar nogal doorzichtige verzoek komt en het windt hem op.

'Laat me niet vallen, hoor!' roept ze als ze in haar stijgbeugel stapt en min of meer in Toons armen valt. Ze drukt zich quasi-angstig stevig tegen hem aan, zodat Toon haar zachte rondingen tegen zijn borst voelt. Een sensatie die hij nooit eerder beleefd heeft. Hij schrikt er een beetje van en laat haar schielijk los, zodat ze toch nog bijna valt.

'Nou laat je me nog vallen,' kirt ze giechelend, maar dan slaat ze haar armen om zijn hals en drukt een voorzichtig kusje op zijn wang. 'Je bent mijn galante ridder,' zegt ze zacht.

Dan ziet ze een omgevallen boomstam en daar trekt ze Toon mee naartoe. Ze schuift dicht tegen hem aan en kijkt hem met haar mooie ogen verliefd aan. 'Heb jij wel eens een meisje echt gekust, Toon?' vraagt ze terwijl ze haar hoofd op zijn schouder laat rusten.

'Nee, natuurlijk niet,' reageert Toon heel eerlijk. Hoewel Ilse met haar mooie ogen, knappe toetje en ranke figuurtje bepaalde gevoelens in hem wakker schudt, beschouwt hij meisjes van zijn leeftijd nog steeds als giechelende en aanstellerige wichten.

'Ik één keer en ik weet hoe het gaat, kijk zo!' Ze drukt haar lippen op de zijne en geeft hem een innig kusje. En ze herhaalt het als Toon zijn armen om haar heen slaat. Hij kust haar terug of hij nooit anders gedaan heeft en hij heeft een gevoel alsof hij zweeft. Wat lief is dat zo'n zacht meisje in je armen te houden en te kussen, gaat het door hem heen. Een heel aparte sensatie. Ze blijven nog een poosje zitten kussen en knuffelen, maar dan springt Toon op, want hij wil Thomas niet te lang laten wachten.

Ver zijn ze niet van huis geraakt, dus zijn ze ook gauw weer terug op De Eikenhorst, waar Thomas hem glunderend vertelt dat hij beide dure antieke kristallen vazen voor een goede prijs aan mevrouw Thérèse verkocht heeft.

'Maar nu vlug je laarzen en pet inleveren, want we hebben nog een hele rit voor de boeg, casanova.'

'Wat zeg je nou?' verbaast Toon zich, maar Thomas schudt zijn hoofd.

'Zoek het woord maar eens op in een woordenboek, dan begrijp je wel wat ik bedoel,' lacht hij. Ze nemen vlug afscheid, maar Toon moet Ilse met de hand op zijn hart beloven gauw terug te zullen komen om weer eens samen een ritje te maken.

HOOFDSTUK 3

'Zondag na de mis komt boer Kootwijk met zijn twee jon-gens op de koffie,' zegt Trui tegen haar kinderen. Met Arie heeft zij lange gesprekken gevoerd en alle zaken van enig belang zijn aan de orde gesteld. Ze zijn het eens, zeker wat hun onderlinge verhouding betreft. Trui vindt Arie een lieve en zachte man, maar de gevoelens van Arie zelf gaan nog een stukje verder. Hij is ronduit verliefd op zijn Truitje en hij kan zijn geluk niet op.

'Jij bent de eerste vrouw in mijn leven waar ik echt van houd, lieveling,' beweert hij bij herhaling en Trui gelooft hem. Zij beantwoordt zijn innige kussen en doet dat zeker niet met tegenzin. Ze kent zijn achtergrond als geen ander en is blij dat ze deze sympathieke man gelukkig kan maken. Zelf heeft zij in haar huwelijk met Han Koetsier negen gelukkige jaren gekend, maar bij Arie ligt dat anders. Uit respect voor zijn overleden vrouw wil hij er niet al te veel over kwijt, maar woorden zijn niet altijd nodig om uit te drukken hoe gevoelens liggen. Het is eigenlijk een schande dat zo'n lieve man een huwelijk opgedrongen werd met iemand die totaal niet bij hem paste en waar hij bovendien niets om gaf. Omgekeerd trouwens ook niet, want tijdens hun verkeringstijd heeft zij het tweetal vaak genoeg mee-gemaakt, maar van enige onderlinge genegenheid was nooit iets te merken, integeneel, Alie deed altijd nogal kattig tegen haar vrijer. Hoe anders ging zij om met Han en nu weet zij dat Arie Han erom benijdde, ja, zelfs jaloers was. Arme jongen. Ze heeft veel aan hem goed te maken. Rare gevoelens kunnen mensen soms hebben. Arie heeft haar vroeger nooit gevraagd en dus heeft ze hem geen blauwtje laten lopen, maar toch heeft ze een licht gevoel van spijt. Spijt dat ze niet eens een keertje heeft laten merken dat zij hem erg aardig vond. Een keertje samen kermis vieren of iets dergelijks. Rare kronkelgedachten natuurlijk, want dan had Han misschien voor een ander gekozen. Maar waarom was Arie toen toch zo bleu? Nu de kogel eenmaal door de kerk is zegt hij de liefste dingen tegen haar en draagt haar op handen.

Toch is er een zorg die ze beiden delen: de onderlinge verhouding van de kinderen. Dat blijkt alweer uit de reactie van Lientje als ze hoort dat Arie met zijn twee zonen op de koffie komt.

'Dan kkkkk…omt die ppppp…estkop van 'n Hein dus ook mee,' hakkelt ze.

Lientje heeft erg moeten wennen aan het idee dat haar moeder zal gaan trouwen met de boer van de Adehoeve, maar nu hij al op bezoek komt, komt alles plotseling zo dichtbij. Ze heeft begrepen dat, als moe met de boer getrouwd is, ze allemaal op de Adehoeve gaan wonen en dan zijn die twee vervelende knapen daar ook. Ze is wat van slag en dat uit zich bij haar altijd in extra hakkelen.

'Maak je niet zo zenuwachtig, kindje,' zegt moeder Trui. 'Je zult zien dat het allemaal best meevalt. Als de jongens hier zijn zullen ze zich zeker heel anders gedragen dan op school.' Ze heeft de afgelopen weken uitvoerig met de kinderen gesproken en die hebben geknikt en gezegd dat het goed is, maar nu de werkelijkheid echt tot hen doordringt, komen de problemen.

Dat Hein Kootwijk zich op die zondag inderdaad anders gedraagt dan op school, merkt Lientje wel. Hij pest niet en is zelfs aardig tegen haar. Ze voelt zich op haar gemak en daardoor hakkelt zij ook niet of nauwelijks. Dat vader Arie zijn zonen de nodige instructies heeft meegegeven laat zich raden. Heintje houdt zich er kennelijk aan, maar met Jaap ligt dat anders. Het boterde nooit tussen hem en Toon en dat doet het ook niet op deze zondag. Het begint er al mee dat Jaap zijn neus ophaalt bij het zien van de, in zijn ogen, armoedige bedoening van zijn aanstaande stiefmoeder. Op de Adehoeve is alles groter en beter en dat prent hij Toon overduidelijk in.

De kinderen is te verstaan gegeven een poosje buiten te blijven, omdat Trui en Arie nog het een en ander te bespreken hebben. Maar Toon kan de opschepperige houding van Jaap niet langer verdragen en gaat naar binnen.

'Je zou toch een poosje buiten blijven,' zegt Trui ontstemd.

'Heb je Jaap de stallen al laten zien?'

'Hij wil er niet eens naar kijken, want hij vindt het maar een armoedige troep.'

'Zo zal hij het wel niet gezegd hebben,' veronderstelt Trui, maar Toon spreekt haar tegen. Hij zegt geen zin meer te hebben om de domme opmerkingen van die knul aan te horen.

'Laat Toon maar binnen blijven, Truitje; ik zal Jaap nog wel eens onderhanden nemen,' reageert Arie.

'Nee, ik heb gezegd dat hij een poosje buiten moet blijven en daar blijf ik bij.' Trui is wat minder meegaand dan haar aanstaande.

Mopperend verlaat Toon de kamer, maar de rust keert niet weer, integendeel, er klinken kreten buiten en als Trui en Arie gaan kijken wat er aan de hand is, staan de twee jongens als kemphanen tegenover elkaar. Lientje komt ook op het tumult af en dan besluit Trui haar kinderen maar binnen te halen. Jaap bokt dat hij geen zin heeft om mee naar binnen te gaan en gaat terug naar de Adehoeve. Dit is tegen de wil van Trui, maar zij heeft nog niks over de kinderen van Arie te zeggen. De ruzie tussen de twee jongens legt een domper op de eerste kennismaking tussen de twee gezinnen.

Hein is nergens te bekennen, maar blijkt later bij Tinus Groot in de paardenstal te zijn. Maar later blijkt ook dat Tinus het met Hein over alles behalve over paarden heeft gehad. Hij hoort Hein een beetje uit over de verhouding tussen zijn vader en vrouw Koetsier. Hein is er erg negatief over en dat is zalf op de wonde van de versmade knecht. Misschien worden die twee het helemaal niet eens, denkt hij.

Zijn hoop op een huwelijk vlamt daardoor weer wat op.

'Gaat het niet lukken tussen jullie?' vraagt Tinus de volgende dag aan Trui.

'Hoe kom je daar nou bij?' Trui kijkt haar knecht met een verbaasde blik aan.

'Dat leid ik af uit de uitspraken van Heintje Kootwijk. Hij en zijn broer Jaap zijn fel tegen de omgang van hun vader met jou.'

'Is het jouw gewoonte om kinderen uit te horen, Tinus?' Trui is woest. Ze weet best dat Tinus zo jaloers is als een aap, maar dat geeft hem nog niet het recht kinderen uit te horen en zodoende een wig te drijven tussen haar en Arie.

'Ik heb de jongen helemaal niet uitgehoord,' verdedigt Tinus zich tegen beter weten in, want Trui slaat de spijker op zijn kop.

'Je wilt me toch niet wijsmaken dat Hein er uit zichzelf over begonnen is. Als jij hier wilt blijven werken dan moet je je niet met mijn zaken bemoeien, Tinus,' zegt ze streng en daar kan de knecht het mee doen. Zijn aanvankelijke hoop smelt daardoor als de spreekwoordelijke sneeuw voor de zon.

Ondanks de nogal negatieve houding van de kinderen laten Arie en Trui elkaar niet los. Kort nadat Arie met zijn jongens op De Bok geweest is, brengt Trui met haar kinderen een tegenbezoek aan de Adehoeve. Maar ook daar herhaalt zich de onmin tussen vooral Jaap en Toon. Het is wel duidelijk dat Jaap de aanstichter is van de herrie. Hij noemt Toon zelfs een indringer. Tussen Hein en Lien gaat het wat beter.

Toch moeten de kinderen van beide kanten erg wennen aan de nieuwe situatie. Trui en Arie doen hun best dat gewenningsproces voor hun kinderen zo soepel mogelijk te doen verlopen, maar Jaap blijft de dwarskop. Als Arie tracht zijn oudste wat milder te stemmen krijgt hij nauwelijks gehoor. Trui praat ook op hem in en omdat vreemde ogen dwingen boekt zij een wat beter resultaat. Tussen Jaap en Toon lijkt het daarna wat beter te gaan, maar het blijkt toch een gewapende vrede te zijn. Als moeder Trui op bezoek gaat bij haar toekomstige man, blijft Toon maar liever thuis en omgekeerd blijft Jaap thuis als zijn vader bij Trui op bezoek gaat. Dat laatste komt trouwens vaker voor dan het eerste.

En zo gaan er maanden voorbij waarin er niet veel verandert. Op het dorp gaan oude mensen dood en worden kindertjes geboren. Het is de kringloop van het leven, zoals die zich niet alleen in de mensenwereld maar ook in de natuur en in het dierenrijk voordoet. Warme en zonnige dagen worden opgevolgd door perioden met regen en wind. De winter brengt afwisselend sombere gure dagen en rustig vriezend weer. De boer past zich aan aan de weersomstandigheden. Als het te koud wordt gaat het vee naar de stal en wordt het melken in de vroege ochtend een stuk aangenamer. De tochtige koebocht wordt verruild voor de warme stal.
Ook Toon moet zich aan de weersomstandigheden aanpassen. In de zomer is een half uurtje fietsen naar de HBS in de stad een pretje, maar met storm en regen moet hij warme en waterdichte kleren aantrekken om niet als een natte dweil in de schoolbanken te hoeven zitten. Hij is inmiddels opgeklommen tot de derde klas van de HBS en het gaat nog steeds voortreffelijk. Het onderwijzend personeel geeft hoog op over de kwaliteiten van Toon. Zelfs de Franse taal, waar hij veel moeite mee heeft, krijgt hij aardig onder de knie. Dat dankt hij ook wel een beetje aan Thomas de Zwaan, die hem vaak helpt. Hij traint hem in het voeren van een gesprekje in het Frans en als ze samen op bezoek gaan op De Eikenhorst waagt Toon het zelfs een paar woorden te wisselen met de moeder van Ilse. Ilse zelf klapt dan in haar handen en prijst hem uitbundig. Zelf is ze uitgegroeid tot een ware schoonheid en ze steekt niet onder stoelen of banken dat ze steeds gekker wordt op Toon. Als ze samen

weer eens gaan paardrijden wil ze op gezette tijden uitrusten. Niet omdat ze zo moe is, maar kussen en knuffelen met haar knappe en sterke vriendje vindt ze 'enig'. Dat laatste vertrouwt ze oom Thomas giechelend en met een hoog piepstemmetje toe. Toon blijft er wat nuchterder onder, maar de vurige kussen van het mooie en zachte meisje winden hem wel op.

Wie de innige kussen van zijn lieve Truitje ook opwinden, is Arie Kootwijk. 'Ik vind dat we lang genoeg aan elkaar hebben kunnen wennen, Truitje,' zegt hij op een avond waarop ze samen zijn. Ze hebben inmiddels ruim anderhalf jaar omgang met elkaar en dat beschouwt hij als lang genoeg.
'Ik ben het wel met je eens, Arie, maar hebben de kinderen ook voldoende tijd gehad om aan elkaar te wennen?'
'Volgens mij wel, schat.'
'Dat geldt voor Hein en Lien, maar geldt het ook voor Jaap en Toon?'
'Met hun zestien jaren zijn het geen kleine kinderen meer, Truitje. Ik weet wel dat ze elkaar meestentijds ontlopen, maar dat zal toch wel beter worden.' De wens is bij Arie de vader van zijn gedachte.
'Beter? Als ze onder één dak wonen kunnen ze elkaar nauwelijks meer ontlopen.'
'Dan zijn wij er zelf bij, lieveling. Moeten we echt nog langer wachten? Ik verlang zo naar je, schatje.'
'Ik naar jou ook, jongen.' Trui ziet de wat verlegen trek om zijn mond en dan gaat er een golf van liefde door haar heen. Ze kruipt op zijn knie en slaat haar armen om zijn nek. 'Zo goed?' fluistert ze in zijn oor.
In plaats van te antwoorden drukt hij zijn mond op de hare en dan zitten ze een hele poos te kussen en te knuffelen als een verliefd jong paartje. 'Ik hou zo ontzettend veel van je, lieveling,' zucht hij als hij zijn lippen even van haar mond haalt.

'Dan zullen we de stap maar wagen, jongen.' Trui springt van zijn knie en loopt naar het buffet om vervolgens terug te komen met een kruik jenever, een kruik brandewijn en twee glaasjes. 'We hebben iets te vieren, Arie,' zegt ze blij. Ja, Trui is blij dat de kogel door de kerk is. Zelf verlangt ze ook naar geborgenheid. Met een lieve man als Arie is ze daar bij voorbaat van verzekerd. Als Han haar vanuit zijn stoel in de hemel zou kunnen gadeslaan, dan zou hij haar haar nieuwe geluk zeker gunnen. Die gedachte sterkt haar in de overtuiging dat de beslissing die zij zojuist genomen heeft, een juiste is.

'Voor mij is het geen waagstuk, lieve schat,' reageert Arie. 'We zijn nog jong en we hebben dus nog een heel leven voor de boeg. Met jou wil ik graag klinken op een gelukkige toekomst.'

'Ik met jou ook, lieverd. Wat wil je, een borrel of een brandewijntje met suiker? Zelf neem ik dat laatste.'

'Geef mij maar een borrel, schat.' Ze klinken vervolgens op alle denkbare geluk, maar dan wordt Trui serieus en praat met haar toekomstige echtgenoot over de aanpak van een aantal zakelijke dingen.

'Als ik boerin word op de Adehoeve, dan heb ik geen tijd meer om me met de dagelijkse gang van zaken op De Bok te bemoeien, maar verkopen wil ik niet. Na de dood van Han heb ik, samen met Tinus en Frans, hard gewerkt om de paarden- en veehandel tot bloei te brengen en daar doe ik niet zomaar afstand van.'

'Gelijk heb je, Truitje. Verkopen is trouwens niet nodig en ook niet verstandig, want we moeten tenslotte ook denken aan de toekomst van de kinderen.'

'Jij denkt aan dingen waar ik nog niet eens aan gedacht heb, Arie. Behalve Toon die doorleert, zijn ze nu allemaal van school af. Met de hulp van Lien en Neeltje Bens kan ik het werk op de Adehoeve makkelijk aan en houd ik tijd over om me nog een beetje met de gang van zaken op De Bok te bemoeien. Daar houd ik Greetje Bavelaar aan, want ik kan de twee knechten niet aan hun lot overlaten, maar jij moet helpen.'

'Dat komt voor elkaar, Truitje. Jaap blijft hier op de hoeve en met Hein heb ik een plannetje, maar daar moet jij achter staan.'

'Welk plannetje?'

'Met Jaap en onze ouwe knecht Gerrit red ik het wel op de Adehoeve en nu Hein van school is, loopt hij ons eigenlijk een beetje in de weg. Nou had ik gedacht hem in de leer te doen bij Tinus Groot en Frans Borst. Van Tinus kan hij veel leren over de paardenhandel en van Frans over de veehandel. Wat vind jij ervan?'

'Als Hein er zelf iets voor voelt, lijkt het me een goed idee, Arie.'

'Hein voelt ervoor, want je weet zelf dat hij altijd bij de paarden te vinden is als hij bij jou op De Bok is. Verder is het goed dat hij ook weet hoe de veehandel in elkaar zit.'

Als Arie en Trui die avond met een innige kus afscheid van elkaar nemen, zijn ze het over de toekomstplannen helemaal eens. Ook willen ze op korte termijn hun trouwdatum vaststellen, maar vooraf moet er nog gesproken worden met pastoor Eerhart. Arie neemt op zich een afspraak met meneer pastoor te maken.

Die afspraak volgt enkele dagen later. Pastoor Eerhart is oprecht blij dat twee van zijn vooraanstaande parochianen die beiden door het noodlot hun levenspartner verloren hebben, bij elkaar een nieuw geluk gevonden hebben. Voorlichting over de voetangels en klemmen die jonge paartjes op hun levensweg kunnen tegenkomen, hoeft de oude pastoor dit koppel niet meer te geven. Hij beperkt zich dan ook tot de praktische punten waarmee trouwlustige paren rekening moeten houden. Als alles besproken is wordt de trouwdatum vastgesteld en wordt daarvan de goegemeente tijdens de eerstvolgende kerkdienst kond gedaan.

Het is de daaropvolgende zaterdagavond druk in de scheerwinkel oftewel de 'kapsalon', zoals Simon van 't Wout de
ruimte achter zijn galanteriewinkeltje met de nodige zelf-
overschatting noemt. Een beetje overdrijven is Simon, alias
Siem met de handjes, niet vreemd, maar de mensen storen
zich er niet aan, want hun kapper, die overigens nooit een
kappersschool vanbinnen gezien heeft, houdt wel van een
geintje. Maar hij heeft ook een serieuze kant en daar heeft
hij onder andere zijn bijnaam aan te danken. Hij is gezegend met geneeskrachtige handen. Als iemand ergens pijn
heeft dan hoeft hij maar even zijn handen op die plek te leggen en de pijn vermindert of verdwijnt geheel. Geld rekent
hij niet voor zijn gave, die hem, volgens eigen zeggen, door
God geschonken is. Wel rekent hij erop dat de mensen die
hij helpt, klant bij hem worden of blijven. Geheel onbaat-
zuchtig is hij dus niet, wat ook al blijkt uit zijn 'nazorg'. Hij
geeft ze een zelfgebrouwen zalfje mee voor als de pijn
terugkomt terwijl het haar of de baard van het slachtoffer
nog niet aan knippen of scheren toe is. Dat zalfje moet
natuurlijk wel betaald worden en dat doen de mensen
graag, want ze hebben er baat bij.

Mensen vragen Siem wat hij toch in die zalfdoosjes stopt,
maar dan schudt de kapper zijn hoofd en zegt dat dat het
geheim van de smid is. Wel wil hij met een glimlach kwijt
dat de hoofdbestanddelen bestaan uit wat vet, een beetje
olie en een flinke scheut suggestie. 'Dat laatste heeft dezelfde uitwerking op het lichaam als de wijwaterkwast van
meneer pastoor op de geest,' voegt hij er ter verduidelijking
aan toe. Gevoel voor humor kan Siem niet ontzegd worden
en dat weten de dorpelingen. Als iemand kijkt als een boer
die kiespijn heeft, wordt hem geadviseerd maar eens bij
Siem met de handjes langs te gaan.

In de kapsalon van Siem is het op zaterdagavond altijd druk
en gezellig. De drukte wordt niet steeds veroorzaakt door
het aantal wachtende klanten, want ook degenen die al
klaar zijn, blijven vaak wat plakken om vooral maar geen

nieuwtje te hoeven missen. Zo ook die zaterdagavond, want iedereen wil het fijne weten van de aangekondigde trouwerij van Arie Kootwijk en de weduwe van Han Koetsier. Ze treffen het, want Tinus Groot is een van de scheerklanten.

'Je kansen zijn wel definitief verkeken nu Truitje gaat trouwen met Arie Kootwijk, Tinus,' zegt slager Piet Vonk. 'Had je Arie niet voor kunnen zijn?'

Tinus haalt zijn schouders op en houdt de slager zijn geopende portemonnee onder de neus. 'Zie je wat hier in zit, Piet?'

'Niet veel,' lacht de slager.

'Precies! En heb je wel eens in de beurs van Arie Kootwijk gekeken?'

'Jij wilt toch niet beweren dat Truitje de boer van de Adehoeve om zijn centen gaat trouwen,' reageert koster Teun Zondervan op de suggestieve opmerking van de paardenknecht.

'Zij moet mij niet en dat heeft alles te maken met de dikte van mijn portemonnee, Teun, wat ik je brom.'

'Arie is een knappe vent, Tinus,' meent de slager, maar Tinus schudt zijn hoofd.

'Dat heeft er niks mee te maken,' vindt hij.

'O nee? Als je straks aan de beurt bent moet je maar eens goed in de spiegel kijken.' De slager heeft de lachers op zijn hand, maar Tinus kijkt niet vrolijk. Dat hij Truitje moet afstaan aan die rijke boer vindt hij een ramp en leuk is het dan ook niet dat er bovendien nog de draak met hem gestoken wordt.

'Maar Tinus heeft wel pech, hoor!' zegt de koster als hij uitgelachen is. 'En Arie boft, want hoewel Truitje geen jonkie meer is, mag ze er nog best wezen.'

'Vroeger was Truitje echt een mooie meid,' herinnert de kapper zich. 'Iedereen was toch gek op Truitje van Haestregt.'

'Dat klopt,' weet ook Piet Vonk. 'Arie was een van de knapen die gek was op Truitje, maar Arie moest van zijn vader

met Alie Kruining trouwen, want daar zaten meer centen.'
'Zo gaat dat hier,' zucht de koster. 'Over de dooien niks dan
goeds, maar die Alie was wel een pikvin, hoor! Die paste
nou echt helemaal niet bij die verlegen Arie Kootwijk.'
'Met dat verlegen zal het wel meevallen, want hij had het bij
Truitje vlug voor elkaar,' reageert Tinus zuur.
'Jij kunt de zon niet in het water zien schijnen, Tinus,' lacht
de slager.
'Dat is onzin, maar ik vind het wel vreemd dat ze vroeger
niks van hem moest weten en het nu wel lijkt of hij haar
betoverd heeft. Ze vreet hem haast op!'
'De kift, Tinus!' lachen ze. 'Je zult op zoek moeten naar een
andere weduwe, jongetje, want de jonge meiden staan niet
meer te trappelen, hoor!'

De oren van Trui en Arie zouden tuiten als ze wisten wat er
over hen in de scheerwinkel gezegd werd. Maar zij hebben
wel iets anders aan hun hoofd. Zij zijn volop bezig met de
voorbereidingen van de trouwpartij en zij niet alleen. Ook
de kinderen hebben zich voorgenomen zich niet onbetuigd
te laten. Natuurlijk beseffen zij dat de trouwerij grote ver-
anderingen in hun leven zal geven, maar het is nu eenmaal
zo en dus moeten zij er het beste van zien te maken. Zij gunnen hun ouders alle geluk en ze zijn inmiddels oud genoeg
om te zien dat het erg goed klikt tussen die twee. De kinderen van Trui weten dat zij aan Arie Kootwijk een heel
fijne stiefvader zullen hebben en zo weten de kinderen van
Arie dat Trui een lieve vrouw is en dus ook een lieve stiefmoeder zal zijn. Tante Trui noemen ze haar en de kinderen
van Trui noemen hun aanstaande stiefvader ome Arie. Aan
de woordjes pa en moe kleven te veel dierbare en emotionele herinneringen voor de kinderen, vandaar de keuze
voor ome en tante. Arie en Trui hebben er vrede mee.
Vooral Trui wil dat haar kinderen zich in hun nieuwe omgeving thuis zullen voelen en dat de kinderen van Arie hen
niet als indringers zullen beschouwen. Een term die door

Jaap al eens gebezigd is.

Lien heeft het met de knecht Gerrit Kooistra al op een akkoordje gegooid wat de versiering van de kapwagen betreft. Zij weet, want de oude knecht heeft het haar al glimmend van trots verteld, dat hij het bruidspaar zal mogen rijden. Maar voor Lien is dat nog niet voldoende. Zij is ook bezig een mooi versje uit haar hoofd te leren. Dat leren is niet zo moeilijk, maar de gedachte dat versje ook te zullen voordragen bezorgt haar al bij voorbaat de nodige zenuwen. En als ze gespannen of zenuwachtig is gaat ze hakkelen. Maar meester Teulings heeft haar bij het verlaten van de school op het hart gedrukt op dat punt moeilijkheden niet uit de weg te gaan. 'Niet het hakkelen moet jou, maar jij moet het hakkelen de baas blijven,' heeft hij gezegd, en dus zet ze door. Het gekke is dat ze er bij het zingen nooit last van heeft. Ze zit op een gemengd jongens- en meisjeskoor dat onder leiding van meester Teulings staat. De zoon van de ondermeester, Gerard Teulings, zit ook op dat koor en die stimuleert haar te doen wat zijn vader haar adviseert. Hij is erg aardig voor haar en als ze met hem praat hakkelt ze nooit. Ze vindt Gerard ook aardig en daar komt het misschien wel door.

Toon Koetsier voelt zich met zijn zestien jaren al een hele kerel en hij zou voor de trouwerij best een bruiloftsmeid willen hebben, maar wie?

Als hij weer eens op bezoek gaat bij zijn vriend Thomas de Zwaan brengt die hem op een idee en zegt: 'Waarom vraag je Ilse niet?'

'Hoe zou ik haar dan moeten vragen; ik zie haar toch bijna nooit.'

'Je hebt toch een fiets.'

'Ja, maar wat bedoel je daarmee te zeggen?'

'Dat je naar De Eikenhorst kunt fietsen om haar uit te nodigen voor het feest.'

'Denk je dat ik dat zomaar durf te doen? Stel je voor dat die

huisknecht met zijn wapperende slipjas, die John, opendoet en vraagt wat er van mijn dienst is. Wat moet ik dan
zeggen? Dat ik bruiloft wil vieren met Ilse?'
'Bijvoorbeeld! Je bent toch niet bang van John?'
'Bang is een groot woord, maar ik vind hem zo deftig en statig. En als Ilse er geen zin in heeft of van haar ouders niet
mag, dan sta ik daar voor aap.'
'Als jij met een mooi meisje bruiloft wil vieren dan moet je
er wel wat moeite voor doen, Toon. Ilse zal best willen,
hoor! Ik heb allang gemerkt dat ze je erg aardig vindt en dan
druk ik me nog heel voorzichtig uit.'
'Een hekel heeft ze niet aan me,' zwakt Toon de mening van
Thomas wat af, maar diens opmerking streelt wel zijn ijdelheid. Ilse is een beetje aanstellerig, maar ze is ook lief en
mooi en dat ze hem aardig vindt of meer dan dat valt nu ook
Thomas al op. Hij noemde hem eens 'casanova' en advi-
seerde hem het woord op te zoeken in een verklarend
woordenboek. Dat heeft hij gedaan en vond 'vrouwenverleider' als uitleg. Is hij een vrouwenverleider? Als dat zo is
dan is Ilse een mannenverleidster, want zij is ooit met kussen begonnen. 'Moet jij niet binnenkort een keer naar De
Eikenhorst, Thomas?' wil hij weten.
'Moet ik haar soms vragen uit jouw naam?' lacht Thomas.
'Je weet best dat dat niet hoeft, maar het zou toch kunnen
dat je er binnenkort heen moet.'
'Ik moet er wel een keer heen, maar dan is de bruiloft al
achter de rug.'
'Kun je echt niet voor die tijd een keertje gaan?'
'Nee, want ik moet een heel mooi antiek bloementafeltje
afleveren, maar er zit een kleine beschadiging aan die ik
eerst moet repareren. Daarna moet het geschuurd en in de
was gezet worden. Dat is nog een hele klus, hoor!'
'En als ik je er nou bij help.'
'Dat verandert de zaak; wanneer kun je beginnen?'
'Morgen als het moet.' Toon heeft nog wel wat huiswerk,
maar het vooruitzicht misschien met de mooie Ilse bruiloft

te vieren weegt zwaarder dan zijn plichtsgevoel.

Een paar avonden gaat Toon meteen na het eten naar Thomas en werkt of zijn leven ervan afhangt. Het is dan ook een hele klus, want het sierlijke tafeltje heeft allerlei krulletjes en tierelantijntjes en Thomas staat erop dat alles tot in de kleinste hoekjes en gaatjes van oude waslagen ontdaan wordt. Daarna wordt er een nieuwe waslaag aangebracht en wordt het tafeltje met een zachte lap opgepoetst. Thomas is dik tevreden en prijst Toon voor zijn ijver. 'Ik heb gezegd dat je er wat moeite voor moet doen om met een mooi meisje als Ilse bruiloft te vieren. Die moeite heb je ervoor over gehad, jongen, dus zaterdag kun je de schone jonkvrouw gaan schaken.'

'Je gaat het daar toch niet vertellen, hè?' Toon kent de zotte invallen van de kunstenaar en is daar beducht voor.

'Een beetje fantasie, Toontje! Als je een meisje vraagt moet zij het gevoel hebben dat jou geen berg te hoog en geen zee te diep is om haar 'ja' te bereiken.'

'Maar ik ga me niet aanstellen, hoor!'

'Nee, daar ben je te nuchter voor. Als het nodig is zal ik je wel een handje helpen.'

Onder normale omstandigheden valt Toon 's avonds als een blok in slaap, maar die vrijdagavond kan hij de slaap niet meteen vatten. De volgende morgen zal hij al vrij vroeg met Thomas naar De Eikenhorst vertrekken. Hij heeft niemand iets verteld over het doel van zijn bezoek, want als Ilse 'nee' zegt zou hij uitgelachen worden. Toch had hij het misschien aan moe moeten vertellen. Of niet? Waar doet hij goed aan? Hij kan iedereen, inclusief het bruidspaar, natuurlijk verrassen door met Ilse aan te komen. Enfin, waar maakt hij zich druk om; misschien gaat Ilse helemaal niet mee omdat ze geen zin heeft of omdat ze niet mag. Maar als ze wel mag en vraagt hoe zijn moeder heeft gereageerd, wat moet hij dan zeggen? Mijn moeder weet nergens van, want ik heb het haar niet gevraagd of verteld? Ze zal dan misschien alsnog zeggen dat ze het niet doet.

Hij draait zich om en om in zijn bed en komt er niet uit. Waar is hij eigenlijk aan begonnen. Ilse is een meisje dat hemelsbreed afwijkt van alle dorpsmeisjes. Ze zal zeker haar mooiste jurkje met linten en strikken aantrekken en met de hoge hakjes van haar rijglaarsjes parmantig naast hem stappen. Geen kapje op haar blonde krullen, maar een frivool hoedje met linten tot op haar rug. De dorpelingen zullen hem hoogmoed verwijten om met zo'n deftig meisje aan te komen. Door naar de HBS in de stad te gaan is hij toch al een buitenbeentje in het dorp. De keren dat hij Ilse ontmoet heeft, is hij in de buurt van De Eikenhorst gebleven. Nooit heeft hij zich met haar in het dorp vertoond. Die Thomas ook met zijn rare voorstellen! Misschien is het het beste morgenochtend tegen hem te zeggen dat hij niet meegaat. Maar Thomas zal dat niet begrijpen. Eerst werkt hij zich drie avonden uit de naad om naar Ilse te gaan en dan plotseling bedenkt hij zich. Nee, dat doet hij niet. Als Ilse met hem bruiloft wil vieren dan moet hij enthousiast reageren en wat de dorpelingen denken aan zijn laars lappen. Moe en ome Arie zullen het best leuk vinden dat hij met Ilse op het feest komt. Jaap zal waarschijnlijk nare opmerkingen maken, maar daar heeft hij echt lak aan. Hij draait zich op zijn andere zij en valt dan eindelijk in slaap.

Als moeder Trui hem de volgende morgen wekt staat hij enkele minuten gapend en besluiteloos naast zijn bed. Maar dan loopt hij naar de pomp en spoelt alle muizenissen weg. Hij gaat met Thomas naar De Eikenhorst en zal Ilse vragen voor de bruiloft.

'Toon wil je wat vragen, Ilse,' zegt Thomas als ze die zaterdag bij De Eikenhorst arriveren. Op de bok van het rijtuig heeft hij zijn jonge vriend geobserveerd en gezien dat die behoorlijk gespannen is. Hij heeft Toon beloofd dat hij hem zo nodig wel een handje zal helpen en daar begint hij maar meteen mee als de hartelijke begroeting achter de rug is.

'Echt waar, Toon?' reageert Ilse verrast. 'Wat wil je vragen?'
Een boodschapper heeft de komst van oom Thomas aangekondigd en ze heeft de stille hoop gehad dat Toon mee zou
komen. En Toon is er. Het is alweer een hele poos geleden
dat ze hem ontmoette en ze is benieuwd of hij weer veranderd is. Alleen in haar dromen komt ze hem af en toe tegen
en dan doen ze bijna niets anders dan kussen en knuffelen.
Tegenover haar nichtjes schept ze over hem op. Ze vertelt
ze dat het een heel knappe jongen is en dat zij hem heeft
leren kussen. Ze ontmoet bij vriendinnetjes wel andere jongens, maar geen van hen kan tippen aan Toon. Ze zijn bleek
en slap en hebben van die weke handen. Toon is stoer,
bruin van het buitenleven en zijn handen zijn gespierd en
sterk. Het enige zachte aan hem is zijn mond en als ze daaraan denkt sluit ze haar ogen en waant zich in zijn armen.
'Ik heb binnenkort een feest en daarvoor wil ik een meisje
uitnodigen,' reageert Toon op de vraag van Ilse.
'Een feestje op de HBS?'
'Nee, een bruiloft.'
'Een boerenbruiloft, Ilse,' mengt Thomas zich in het
gesprek en pestend: 'Weet je hoe ze in ons dorp het meisje
dat een jongen daarvoor uitnodigt, noemen?'
'Nee, dat weet ik niet.' Ilse haalt haar schouders op.
'Dat noemen ze bij ons een bruiloftsmeid, maar dat is nog
niet alles; bij ons luidt een gezegde: een kermismeid die hou
je niet en een bruiloftsmeid die trouw je niet. Dus als je
ooit...'
'Thomas, houd op!' onderbreekt Toon de pestkop. Het zint
hem helemaal niet dat Thomas de draak steekt met zijn
serieuze poging Ilse voor de bruiloft te vragen.
'Neem me niet kwalijk,' lacht Thomas en hij maakt zich vervolgens schielijk uit de voeten. Zijn enige bedoeling was de
spanning voor Toon een beetje te breken en hij denkt dat
hij daar aardig in geslaagd is. Toon reageert wel een beetje
nijdig, maar dat is niet erg.
Ilse is helemaal niet nijdig, integendeel, ze is razend

benieuwd voor welke bruiloft Toon haar wil uitnodigen. Ze vraagt het ook.

'Ik heb je een poos geleden al eens verteld dat mijn vader al een aantal jaren dood is en dat mijn moeder omgang heeft met een boer die Arie Kootwijk heet. Hij is ook weduwnaar en nu hebben ze besloten te gaan trouwen,' vertelt Toon.

'Dan krijg jij dus een stiefvader,' concludeert Ilse. 'Is hij aardig?'

'Ja, het is een aardige man.'

'Is je moeder gek op hem?' Ilse is dol op romantische liefdesverhalen en als Toon knikt meent ze dat het dan best een vrolijke bruiloft zal worden.

'Wil je dan met me mee naar dat feest, Ilse?' Toon kijkt haar vol verwachting aan en tot zijn vreugde knikt ze.

'Maar ik moet het nog wel even aan mijn moeder vragen, hoor!' Ze loopt meteen naar de salon waar ze haar moeder en Thomas weet. Toon volgt haar. Hij treft daar een enthousiaste mevrouw Van Dijssel aan. Ze reageert verrukt op het mooie bloementafeltje.

'*C'est magnifique, splendide, vraiment très belle.*' Ze slaat haar handen ineen van verbazing en dus is de koop gauw gesloten.

'Ben je blij, mama?' vraagt Ilse en als haar moeder heftig knikt weet ze dat dat het goede moment is haar toestemming te vragen om met Toon bruiloft te gaan vieren. 'Ik ben ook blij, mama, want Toon heeft me zojuist uitgenodigd samen met hem de trouwerij van zijn moeder bij te wonen. Dat mag wel, hè?'

'Zul jij daar ook zijn, Thomas?' vraagt mevrouw en Thomas knikt. Hij begrijpt dat zijn aanwezigheid tijdens die bruiloft min of meer een garantie is voor de veiligheid van haar dochtertje.

'Ik ben door de moeder van Toon persoonlijk uitgenodigd en ik zal er wel voor waken dat Ilse niets overkomt. Maar dat is eigenlijk niet nodig, want Toon is een heel serieuze jongen en mede aan hem is het te danken dat het tafeltje zo mooi geworden is.'

'Heb jij Thomas erbij geholpen, Toon?' vraagt mevrouw en Toon knikt.

'Ik heb twee avonden zitten schuren en een avond zitten poetsen, mevrouw; ik ben blij dat u het tafeltje zo mooi vindt. Mag Ilse met me mee naar het feest?'

'Ja, hoor! Ik hoop dat jullie een fijne dag hebben.'

'O, leuk!' Ilse klapt in haar handen en trekt Toon mee naar de hal. 'Ik wil je even bedanken voor de uitnodiging, Toon,' zegt ze en meteen drukt ze een kusje op zijn mond. Toon is niet alleen opgelucht dat het allemaal zo goed verlopen is, maar de zachte lippen van het mooie meisje winden hem ook op. Hij trekt haar vol in zijn armen en kust haar innig terug.

'We maken er een fijne dag van, Ilse,' zegt hij zacht. Daarna spreken ze af hoe laat hij haar zal afhalen en op de terugweg merkt Thomas dat alle spanning bij Toon geweken is.

'Zie je nou wel dat je je voor niets zorgen gemaakt hebt,' zegt hij dan ook, maar Toon schudt zijn hoofd.

'Achteraf is het makkelijk zat dat vast te stellen.'

'Vooraf ook; ik heb je toch gezegd dat Ilse het flink van jou te pakken heeft. Waarom denk je dat ze stond te dansen van plezier toen je haar vroeg en in haar handen stond te klappen toen haar moeder haar toestemming gaf om met jou feest te gaan vieren?'

'Ilse doet altijd een beetje overdreven.'

'Vind je haar niet lief?'

'Ja, dat wel en ze is ook erg knap, maar ik vrees dat ze niet weet hoe het er op een boerenbruiloft aantoe gaat. Zij is natuurlijk hele deftige feesten gewend. Als ze maar niet halverwege het feest naar huis wil.'

'Ga je daar nou weer over lopen piekeren?'

'Het is dat niet alleen, Thomas. Ilse moest haar moeder om toestemming vragen en dat had ik eigenlijk ook moeten doen.'

'Heb je dat niet gedaan?'

'Nee, ik heb het mijn moeder niet eens verteld.'

'Waarom eigenlijk niet?'

'Ik was bang een flater te slaan als Ilse zou weigeren. Zelf zou ik trouwens niet op het idee gekomen zijn om haar te vragen. Jij stelde het voor.'

'Heb je er spijt van?'

'Nee natuurlijk niet; ik vind het hartstikke leuk en ik hoop dat moe en ome Arie het ook leuk vinden.'

'Als ze er opmerkingen over maken dan zeg ik wel dat ik jou het idee aan de hand gedaan heb.'

'En zeg er dan bij dat ik ze wilde verrassen.'

'Dat vertel je ze zelf maar, hoor!' Thomas kijkt zijn passagier met een meewarige blik aan. Hij kent Toontje al vanaf zijn prilste jeugd toen hij af en toe met vader Han mee op bezoek kwam. Een lief klein ventje was hij en dat is hij eigenlijk nog, want ondanks zijn zestien jaren en opkomend vlasbaardje is het nog maar een kind. Hij vindt het niet vreemd dat Ilse gek is op deze spontane, knappe en aardige knul. Zelf is ze ook nog maar een kind, maar wel een beetje geraffineerd. Hij heeft zo zijn twijfels of die twee wel bij elkaar passen. Maar dat hoeft ook niet, want als er al sprake is van enige verliefdheid dan is dat niet meer dan kalverliefde. Toch zal menig leeftijdgenoot van Toon jaloers zijn als hij met zo'n uitzonderlijk mooi en charmant gekleed meisje in het boerendorp verschijnt. Misschien is het toch maar beter dat Toon Trui en Arie van tevoren vertelt dat hij met Ilse komt. Hij zegt het ook en Toon knikt.

'Daar heb ik zelf ook al aan gedacht, maar nu jij het zegt, zal ik het zeker doen.'

Het lijkt wel of het bruidskleed van de uitbundig bloeiende boomgaard van de Adehoeve op deze zonnige meimorgen onderdeel uitmaakt van het bruiloftsfeest dat die dag gevierd zal worden. Als een rode bal is de zon die morgen aan de horizon verschenen. Wat hoger geklommen speelt zij door de toppen van de bomen en werpt haar gouden stralen als een zegening van boven over woonhuis en stallen.

Terwijl de kerkklokken hun vrolijke klanken over het dorp uitstrooien spant Gerrit Kooistra, de oude knecht van de Adehoeve, de bruine merrie voor de, door Hein en Lien, versierde kapwagen. Arie Kootwijk zit al klaar en wacht tot Gerrit de wagen bij de voordeur tot stilstand brengt. Een trouwpartij is, net als een begrafenis, zo'n dag waarop de voordeur van de hoeve gebruikt wordt. Op alle andere dagen maakt men gebruik van de achterdeur.

Galant houdt Gerrit de deur van de koets voor zijn baas open en schudt zijn hoofd als Arie toch bij hem op de bok wil klimmen. 'De bruidegom hoort in de koets en niet erop, Arie,' corrigeert hij zijn baas. Ze gaan op weg naar hoeve De Bok, waar de bruid zich bij haar geliefde zal voegen. Daarna gaan ze samen op weg naar de kerk voor de huwelijksmis.

Langs de hoge heining van de pastorietuin staat al een hele rij kapwagens geparkeerd, want als een van de grootste boeren van het dorp aan de Adevaart trouwt, laat geen vakgenoot van hem verstek gaan.

Aan de vrouwenkant zitten voorin de gegoede boerinnen, rijk voorzien van gouden en zilveren sieraden. Aan de mannenkant zitten op gelijke hoogte de boeren, pronkend met hun zware gouden kettingen die verbonden zijn met de horloges in de zakken van hun vesten. Meer naar achteren zit het wat mindere volk, dat voornamelijk bestaat uit oudjes die toch al gewend zijn hun dagelijkse paternosters te 'knabbelen' in de dorpskerk. Daggelders en knechten hebben tijd noch toestemming om de huwelijksmis van een bruidspaar uit de hogere kringen bij te wonen. Niettemin is de kerk tot de laatste plaats bezet en zijn de mensen er getuige van dat de beide trouwlustigen volmondig hun jawoord geven als meneer pastoor daarom vraagt. Het jawoord van Truitje bezorgt Arie een golf van geluk, maar hij ziet niet dat zijn geliefde een traantje wegpinkt. Zij heeft geen moment getwijfeld bevestigend op de vraag van pas-

toor Eerhart te antwoorden, maar toch moet zij even terug-
denken aan de dag, zo'n zeventien jaar geleden, waarop zij
met Han de gelukkigste dag van haar leven had. Zijn naam
heeft zij tot op de dag van vandaag gedragen, maar voortaan zal zij als vrouw Kootwijk door het leven gaan.
Wederom met een lieve man, daar is zij zeker van, maar
haar eerste liefde zal zij nooit vergeten. Het evenbeeld van
hem zit vóór in de kerk en op de eerste rij van de vrouwen
zit een beeldschoon meisje, dat hij uitverkoren heeft om
samen met hem hun feest te vieren. Ilse van Dijssel heet ze
en tot voor enkele weken had ze nog nooit van het meisje
gehoord. Toon vertelde dat hij met de dochter van een kennis of klant van Thomas had afgesproken en zij had daar
geen bezwaar tegen gemaakt. Toon is wel wat jong voor een
bruiloftsmeid, maar het is een serieuze jongen en kwaad
steekt er volgens haar niet achter. Nu ze de verbaasde blikken van iedereen ziet en ze zelf ook verbaasd is over haar
verschijning, heeft ze er spijt van niet wat doorgevraagd te
hebben. Het meisje woont op landgoed De Eikenhorst en
houdt, evenals Toon, van paarden. Vandaar dat ze samen
wel eens een ritje gemaakt hebben, maar dat was in haar
ogen kinderspel. Misschien is dat nog wel zo, want dat haar
jongetje al serieus werk maakt van een meisje, wil ze nog
niet geloven.

Maar nu moet ze zich weer concentreren op de plechtigheid, want meneer pastoor is toe aan de zegening en het
wijden van de ringen. '*Adjutórium nostrum in nómine
Dómini. Qui fecit coelum et terram.*' Ze zijn man en vrouw.
Arie kijkt haar met een blik vol liefde aan en zij tuit haar lippen om hem te tonen dat ze van hem houdt. Vervolgens
ondergaat zij de plechtigheid tot het *Ite missa est*, de zegen
en het Laatste Evangelie in een roes.

Zij verlaten de kerk en de rest volgt. Gerrit Kooistra staat
met de kapwagen klaar om het bruidspaar naar het dorpscafé van Koos Laterveer te vervoeren. Het is min of meer
een formaliteit, want het café ligt op een steenworp afstand

van de kerk. In de grote zaal achter het café krijgen de dorpelingen de gelegenheid het bruidspaar te feliciteren en daar maken velen gebruik van.

De meest opvallende verschijning is Ilse van Dijssel. De dorpelingen kennen het deftige meisje niet, want zij woont niet in de buurt. Jaap Kootwijk trekt een gezicht als een oorwurm. Dat zijn vader voor tante Trui, zoals hij zijn stiefmoeder noemt, gekozen heeft, vindt hij niet erg, maar dat hij die verwaande Toon voor lief moet nemen zit hem dwars. En nou komt die kwibus nog aanzetten met zo'n frivool meisje ook. Het steekt hem en eigenlijk is hij zo jaloers als een aap. Hij is even oud als Toon, maar hij heeft geen bruiloftsmeid. Zo'n mooi meisje als die verwaande stiefbroer van hem heeft, zou hij ook wel willen hebben. Dat die Ilse, zoals het meisje heet, mooi is, ziet iedereen. Ze ziet er ook heel anders uit dan de meisjes van het dorp. Mooi, beschaafd en charmant. Met dat soort meisjes komt hij nooit in aanraking. Toon kennelijk wel. Ja, Toon heeft een streepje voor; die mocht doorleren terwijl hij meteen na de schoolbanken thuis aan het werk moest. Een boerenpummel met de stront aan zijn kleren zal geen enkele kans maken bij een meisje dat eruitziet als een prinses, want zo ziet die Ilse eruit. Waarom steekt die opschepper, dat HBS-studentje, hem en andere jongens van het dorp de ogen uit met zo'n schoonheid? Hij zint op wraak.

Tijdens de receptie wordt het bruidspaar verrast door het cadeau dat Thomas komt aanbieden. Zonder dat iemand het merkte heeft hij een schets gemaakt van de Adehoeve en dat in zijn atelier verder af gemaakt. Zowel Arie als Trui is met stomheid geslagen en ze bedanken Thomas voor het uitzonderlijke geschenk. Maar Thomas wil van geen dank weten, want hij zegt niets anders gedaan te hebben dan zijn drang naar schoonheid te volgen. 'De prachtige oude hoeve te midden van de bloeiende boomgaard, de bomen eromheen en het frisse polderlandschap als groen en schier eindeloos decor heeft mij geïnspireerd,' verklaart hij. 'Ik kon niet anders dan dit schitterende geheel in penseelstreken vastleggen.' De woorden die Thomas spreekt zijn bijna even mooi als het schilderij zelf. Tot die conclusie komt Hans Borghout, de bovenmeester van de dorpsschool en schaakvriend van Thomas. Ook hij heeft de gelegenheid benut het bruidspaar zijn gelukwensen aan te bieden.

Ilse kijkt Toon met een verliefde blik aan en zegt het heel fijn voor hem te vinden dat hij in zo'n mooie hoeve gaat wonen. Toon knikt en geeft haar gelijk, maar of hij echt zo gelukkig is met zijn plaats op de hoeve staat te bezien. Zijn eigen vertrouwde woning moet hij verruilen voor de Adehoeve, waar vooral Jaap Kootwijk hem vijandig gezind is. Dat heeft hij vandaag nog gemerkt aan de manier waarop hij reageerde op Ilse. Jaloers is hij en niet zo'n beetje ook.

Als het feest na de receptie wordt voortgezet gaat hij hem maar zo veel mogelijk uit de weg, want vooral Ilse wil hij behoeden voor nare opmerkingen.

Omdat het nog een hele rit is van het dorp naar De Eikenhorst vertrekt hij al vrij vroeg op de avond en brengt Ilse op de tilbury naar huis. Dat Ilse het niet erg vindt het feest zo vroeg te moeten verlaten merkt hij al vlug.

'Eindelijk zijn we samen, Toon,' zegt ze zich stevig tegen hem aan drukkend. Het is een mooie avond en door haar dunne jurkje voelt Toon haar zachte warmte. Hij slaat zijn arm om haar heen en als ze de bebouwde kom van het dorp verlaten hebben trekt hij haar tegen zich aan en kust haar innig. Voordat hij haar thuis aflevert moet hij beloven gauw terug te zullen komen om weer eens te gaan paardrijden.

HOOFDSTUK 4

Vooral Toon en Lien moeten erg wennen aan de nieuwe situatie. Zij moesten hun oude en vertrouwde omgeving inruilen voor de Adehoeve. Het valt hen zwaar, maar als ze zien hoe gelukkig hun moeder is, laten ze niet merken dat zij het erg moeilijk hebben. Ook hun stiefvader, oom Arie zoals ze hem noemen, is erg aardig voor hen en ook aan hem zien ze dat hij uiterst tevreden is met zijn nieuwverworven geluk. En toch voelen zij zich als een kat in een vreemd pakhuis, ja, zelfs als indringers en daar hebben de zonen van oom Arie schuld aan. Zij hoefden niet te verkassen en wensen ook geen millimeter van de hun toegewezen ruimten af te staan. Het gevolg is dat zij zich als ongenode gasten op de Adehoeve voelen. Toon en Lien vinden steun bij elkaar en zij spreken af dat zij noch moeder Trui, noch ome Arie zullen lastigvallen met hun problemen.

Maar ook Jaap en Hein sluiten een soort verbond om de twee indringers duidelijk te laten merken dat zij hen danig in de weg zitten. Hein is veelal te vinden op hoeve De Bok en van hem hebben zij niet zo erg veel last, maar Jaap is de hele dag thuis en vooral Toon merkt dat een leven als stiefzoon op de Adehoeve geen onverdeeld genoegen is. Als hij niet naar school hoeft zoekt hij daarom vaak zijn heil bij Thomas de Zwaan. Zelfs zijn huiswerk maakt hij veelal bij de kunstenaar en die helpt hem waar nodig. Thomas is goed in Frans en dat is voor Toon nog steeds een moeilijke taal. Ilse spreekt het vloeiend, maar dat komt mede door haar moeder, die uit Wallonië komt.

Trui en Arie kunnen het uitstekend met elkaar vinden en dat is zacht uitgedrukt. In feite zijn zij dol op elkaar en dat laten zij duidelijk blijken als ze 's avonds, als de kinderen naar bed zijn, nog even op blijven.

'Je weet niet half hoe gelukkig je mij gemaakt hebt, lieve schat,' zegt Arie zacht als ze samen in de gezellige huiskamer van de Adehoeve zitten. Als een verliefde jongeling trekt hij haar op zijn knie en streelt haar zacht. 'Ik heb nooit durven dromen dat jij, op wie ik als jonge knul al verliefd was, mijn vrouw zou worden, lieveling.'

'Jij verdient een lieve vrouw, jongen, en ik doe mijn best dat voor jou te zijn.' Trui kust hem, maar springt dan van zijn knie. 'We moeten gaan slapen, want morgen is het weer vroeg dag, Arie.' Meteen verdwijnt ze richting bedstee.

'Slapen?' Arie spurt haar na en voordat ze de bedstee bereikt heeft, heeft hij haar te pakken. Dan rollen ze als jonge honden de bedstee in en gunnen zich vervolgens nauwelijks de tijd om zich uit te kleden.

Het is de volgende morgen inderdaad weer vroeg dag, maar Trui staat er niet alleen voor. Lientje weet van wanten en vooral aan Neeltje Bens, de meid die na de dood van boerin Alie het huishouden van Arie Kootwijk bestierd heeft, heeft zij een hele steun. Zij kan vrijwel alles aan Neel overlaten en daardoor heeft ze de gelegenheid zich ook nog met haar eigen bedrijf te bemoeien. Vooral in het begin is dat nodig, want Arie is van goede wil, maar twee bedrijven in de gaten houden is voor hem wat te veel van het goede. Bovendien voelt hij de vijandige houding van Tinus Groot en dat maakt hem onzeker. Het zwakke punt van Arie is dat hij weinig verstand heeft van paarden en dat is nu juist wel de sterke kant van Tinus. Maar bij Tinus speelt ook de jaloezie een rol. Hij had zijn zinnen op Trui gezet, maar de rijke boer van de Adehoeve ging er met haar vandoor. Dat zette kwaad bloed bij hem, maar, nadat hij bij Truitje de kous op z'n kop gekregen had, heeft hij haar niet meer durven te benaderen.

Maar de tijd schrijdt voort. Op het fraaie voorjaar volgt een zomer met veel onbestendig weer. Tijdens de hooibouw hebben de boeren het moeilijk, want de ene depressie volgt op de andere. Als het een paar dagen droog is kan er gemaaid worden, maar voordat het gras kan drogen komt er alweer regen. Het is om moedeloos van te worden en het gevolg ervan is dat het hooi dat jaar van slechte kwaliteit is en bovendien kan door vochtig hooi gemakkelijk broei ontstaan.

September kent een aantal mooie nazomerdagen, maar daarna krijgt het weer wederom een sterk wisselend karakter. Toon moppert erover als hij bij Thomas op bezoek komt, maar het is dan toevallig een erg mooie dag. Eind oktober, de mooiste tijd van het jaar volgens Thomas.

'Wat je mooi noemt,' bromt Toon. 'Moet je je terras eens zien; er is geen tegel meer te onderscheiden door al het gevallen blad. Ik zal die troep wel wegvegen.' Hij pakt een bezem en gaat aan de slag.

'Jij moet wat meer oog hebben voor de natuur, Toon,' vermaant Thomas zijn mopperende bezoeker. 'Zie je dan niet hoe mooi het is?'

'Ja, vandaag is het mooi maar zo zijn er niet veel dagen in oktober.'

'Geniet dan minstens van deze mooie ochtend, jongen, en houd even op met dat vegen. Kom hier maar bij mij op de bank zitten en geniet van de schoonheid van de herfst.' Ja, Thomas is een kunstenaar én een filosoof. Het lijkt wel of een stem het hem influistert. 'Wie er oog voor heeft ziet dat de herfst gekomen is,' zegt die stem. 'De slanke populieren met hun nog ritselende bladkruinen, ijl in het midden, met al kale takken die de winter aankondigen, laten in de rode herfstzon hun goudgele bladeren neerdwarrelen. Blauwgrijze nevels stijgen op aan de rand van het meer. Zo is de herfst in dit prachtige stukje natuur. Daar vallen de bladeren in grijze stilte; daar sterft het leven af, dat 's zomers bloeit op het land, als het deinende hoge gras rijpt in de zomerzon.'

Die gedachten komen als vanzelf in hem op. Hij kan er intens van genieten en tracht dat gevoel over te brengen op zijn jonge vriend. De herfst met de bonte kleurschakeringen in de kruinen van de bomen en het zachte tapijt van eindeloos neerdwarrelende bladeren vormen voor hem een inspiratiebron voor zijn doeken en gedichten. 'De herfst is echt de mooiste tijd van het jaar, Toon,' verzekert hij zijn bezoeker, maar Toon is het niet met hem eens.

'Als het stormt en regent en je moet elke dag met de fiets vier kilometer heen en weer naar school dan is het mooie er gauw vanaf, Thomas.'

'Ga maar door met vegen, want met jou valt niet te praten,' moppert Thomas en hij gaat naar binnen om zijn schetsboek te halen, want hij wil zijn gedachten omzetten in beelden.

In de wintertijd is er niet veel te doen op de Adehoeve en vader Arie kan met de hulp van de oude knecht en zijn zoon Jaap het werk dan ook goed aan. Hein werkt op hoeve De Bok en voelt zich daar goed op zijn plaats. Hij is leergierig en Tinus brengt hem de fijne kneepjes van het vak bij. Af en toe is hij nog wel net zo dartel als de veulens die er geboren worden, maar dan dreigt Tinus lachend hem ook 'het bit in de bek te doen'.

Toon heeft de gewoonte flink aan te pakken als hij een poos vakantie heeft, maar zowel op De Bok als op de Adehoeve kan hij weinig uitrichten, want al op zijn eerste vrije dag is de vorst ingevallen. Het is mooi stil weer en een week voor de kerst kan er al geschaatst worden. Evenals de meeste dorpsjongens doet hij het graag en als hij zijn rondrijders meeneemt zijn er altijd wel meisjes te vinden die met hem willen zwieren. Leeftijdgenoten kennen elkaar allemaal vanaf de schoolbanken en de eerste die hij in zijn armen mag sluiten is Geertje Castelein. Ze zwieren samen een poos tot Geertje wat wil rusten en dan is Kaatje van Egmond aan de beurt. Zij is een wat bedeesd maar erg mooi en lief meisje. Ze kleurt als Toon haar een compliment maakt dat ze zulke fraaie krullen kan draaien.

'Dat komt omdat jij me goed leidt,' zwakt ze zijn loftuiting wat af. Ze was een beetje jaloers op Geertje, want zwieren met Toon Koetsier, de jongen die op de HBS in de stad zit, is wel erg leuk. Daarom haakte ze meteen bij hem in toen hij haar vroeg wat rondjes met hem te draaien.

'Kom je morgen weer, Kaatje?' vraagt hij als ze een poos gezwierd hebben en het tijd wordt om naar huis te gaan. Als ze blozend knikt en hem lief aankijkt verheugt Toon zich al op de volgende dag. Maar de volgende dag is het erg druk op het ijs. Jaap en Hein zijn er ook. Zij en andere jongens staan bijna in de rij om met mooie meisjes als Geertje en Kaatje te gaan zwieren. Toon is ook van de partij en het lukt hem zowaar Kaatje net voor de neus van Jaap weg te kapen. Als Kaatje zich lachend tegen hem aan drukt, ziet hij dat Jaap rood wordt van nijd.

Hij trekt er zich niks van aan en zwiert vrolijk verder met het mooie meisje, maar even later wil hij wel eens wisselen en vraagt Geertje weer. En dan ziet Jaap zijn kans schoon met Kaatje rondjes te draaien.

Het is echt jammer voor de dorpsjeugd dat de ijspret van korte duur is, want nog voordat de kerstklokken luiden is de dooi ingetreden en beleven zij een natte druilerige kerst. Ook de jaarwisseling verloopt nat en winderig en dat wisselvallige weer duurt bijna tot half januari.

Toon moet dan alweer de dagelijkse fietstocht door weer en wind naar zijn school in de stad maken. Als hij zich dik aankleedt deert het hem nauwelijks. Hij is gezond en sterk, waardoor hij wel een stootje kan hebben.

Toch is hij blij als het voorjaar aanbreekt en zijn dagelijkse rit naar de stad eerder een genoegen dan een opgave wordt. Hoewel hij Thomas af en toe een zacht eitje vindt, heeft hij toch van hem geleerd met andere ogen naar de natuur te kijken. Ook hij ervaart het als een wonder dat de kale bosjes en struiken langs de weg allengs groener worden tot ze je alle zicht op het achterliggende polderlandschap ontnemen. Vogels vliegen af en aan met strootjes en twijgjes om een nest te maken en vervolgens hun nageslacht zeker te stellen. Zo gaat dat in de natuur en op de Adehoeve is het niet veel anders. De rammen hebben maanden eerder hun werk gedaan, zodat de hoeve weer omringd wordt door dartele lammetjes en de stier zorgde ervoor dat het kalverweitje weer aardig bevolkt raakt. En hoe is het met de mensen? Hoe is het met hemzelf? Hij beschouwt meisjes allang niet meer als dwaas giechelende wichten. De innige kusjes van Ilse branden hem nog op de lippen en als hij denkt aan het zwieren met Geertje en Kaatje dan doorstroomt hem een warm gevoel van tederheid. Maar als hij Ilse met de dorpsmeisjes vergelijkt dan is er wel een hemelsbreed verschil. Ilse is net een mooie fladderende vlinder die je omzichtig moet behandelen om hem niet te beschadigen terwijl je met Geertje en Kaartje kan zwieren op het ijs en hossen op de kermis. Gelukkig is hij nog te jong om te kiezen en kan hij onbezorgd genieten van de avonturen die op zijn weg komen. Hij heeft tijd om van het leven te genieten, want met de leerstof op de HBS heeft hij niet al te veel moeite. Op de Adehoeve is er in het voorjaar veel werk en Toon houdt ervan zijn spieren te gebruiken als hij vrij van school is. Met zijn stiefvader en de knecht Gerrit Kooistra kan hij het uitstekend vinden, maar zijn stiefbroer Jaap blijft bokkig.

'Moet meneer niet gaan paardrijden?' vraagt hij sarcastisch als Toon met een riek over zijn schouder het land in loopt om stront te slechten. Het steekt Jaap nog steeds dat Toon de meneer mag uithangen en dat hij zijn leven moet slijten als een soort boerenknecht, al is het dan op de hoeve van zijn vader. Maar er is meer. Hij benijdt zijn stiefbroer niet alleen omdat die gaat paardrijden, maar ook dat hij dat vaak samen met die mooie Ilse van Dijssel doet. Voor hemzelf is Ilse wat te deftig, maar die Toon pikt steeds de mooiste meisjes voor zijn neus weg, zoals de afgelopen winter op het ijs. Bij de gratie Gods mocht hij een keertje zwieren met Kaatje van Egmond en dat is nou juist het meisje dat hij graag wil hebben. Een beetje tuttig is ze, maar pa zal tegen haar nooit bezwaar maken, want haar vader is een van de grootste boeren van het dorp. Gedonder zal hij daarover dus nooit krijgen.

'Vandaag ga ik stront slechten, maar morgen ga ik weer paardrijden, Japie,' lacht Toon. De hatelijke opmerkingen van die pestkop lapt hij de laatste tijd aan zijn laars en reageert er nauwelijks meer op. Door zijn studie staat hij zo langzamerhand ook geestelijk ver boven zijn stiefbroer en dus laat hij alles maar over zich heen komen. Ertegenin gaan heeft toch geen zin, want Jaap is jaloers. Jaloers omdat hij studeert, jaloers omdat hij gaat paardrijden met Ilse en misschien zelfs jaloers omdat de meisjes van het dorp vaak de voorkeur aan hem geven.

Wat het paardrijden betreft zou hij Jaap kunnen uitleggen dat hij dat doet op uitdrukkelijk verzoek van Tinus Groot. 'Paarden moeten af en toe in de benen,' zegt Tinus, en zelf heeft hij daar geen tijd voor. Naast de paardenhandel houdt die zich de laatste tijd steeds meer bezig met de fokkerij en dat is een hele kunst. Je moet goed in de gaten houden wanneer een merrie willig is, want pas dan is zij bereid de hengst toe te laten en is de kans op bevruchting het grootst. Tinus heeft er kijk op, want hij weet altijd vrij nauwkeurig wanneer de bronst van de merrie begint. Toch laat hij hengstige merries voor alle zekerheid om de paar dagen dekken en het resultaat mag er zijn.

Op de vraag van Toon hoe Tinus aan zijn kennis van de paardenfokkerij komt, vertelt die hem dat hij er veel over leest, zoals over de erfelijkheidswet van Mendel, een Oostenrijker die veel pionierswerk op dat gebied verricht heeft. 'Als je van paarden houdt, wil je er ook zo veel mogelijk van te weten komen, Toon,' zegt Tinus en dat verklaart waarom hij zo succesvol is met zijn fokkerij.

Toon helpt de knecht van zijn moeder maar al te graag, want dat geeft hem de gelegenheid bij Ilse langs te gaan om samen ritjes te maken. Niet zelden of, liever gezegd, meestal eindigt zo'n ritje ergens op een stil plekje waar ze stoppen om uit te rusten. Dat maken ze elkaar wijs, want van rusten is geen sprake. Toon trekt het mooie meisje onmiddellijk op zijn knie en kust haar rode mondje keer op keer. Zij laat het graag toe, want zij is inmiddels helemaal in de ban geraakt van haar 'galante ridder', zoals ze hem liefkozend noemt. Toch wellen er op een dag tranen in haar ogen als ze zo dicht tegen elkaar aan zitten.

'Waarom huil je, Ilse?' vraagt Toon verbaasd. Zijn meisje lacht altijd en is wat oppervlakkig, maar nu kijkt ze ernstig en druppen er tranen uit haar ogen.

'Ik durf het je haast niet te zeggen.'

'Wat durf je niet te zeggen?' Toon kijkt haar met een bezorgde blik aan en als ze zich heftig tegen hem aan drukt, strijkt hij haar troostend over haar blonde krullen. 'Wat is er nou toch, lieve Ilse?'

'Ik zal je een hele poos niet kunnen ontmoeten, Toon, want ik moet naar een internationale kostschool in Zwitserland.'

'En daar heb je geen zin in, begrijp ik.'

'Ik zou het niet zo erg vinden als jij mee zou gaan, maar dat kan natuurlijk niet.'

'Nee, dat gaat niet, schat; wanneer vertrek je?'

'Dat weet ik nog niet, maar ik ben bang dat dat al binnenkort is. Laten we maar gaan, Toon, want ik wil liever thuis zijn voordat mijn vader er is. Rijd je nog even mee?'

De wens van Ilse eerder thuis te zijn dan haar vader gaat niet in vervulling. Als ze bij De Eikenhorst aankomen arriveert ook net vader Charles van Dijssel. Ilse schrikt ervan, want tot nu toe heeft ze haar vader, die altijd druk met zaken bezig is, onkundig gelaten van haar omgang met Toon. Moeder Thérèse ziet er niet veel kwaad in en bovendien vindt ze Toon een aardige en beschaafde HBS-er.

'Dit is Toon Koetsier, pa,' stelt Ilse haar begeleider voor.

'Toon de koetsier? Ik weet niets af van een nieuwe koetsier.' Vader Charles kijkt zijn dochter met een verbaasde blik aan.

'Nee, Toon heet Koetsier; hij is de zoon van de eigenaresse van hoeve De Bok, waar wij af en toe een paard kopen,' zet ze, zenuwachtig lachend, het misverstand recht.

'Wil jij ons een nieuw paard verkopen, jongeman?' vraagt hij, maar Toon schudt zijn hoofd.

'Ik heb alleen maar een ritje met uw dochter gemaakt.'

'Waarom maak jij ritjes met die jongen van de paardenfokkerij, Ilse?' De blik waarmee Van Dijssel zijn dochter aankijkt is niet bepaald vriendelijk.

'Nou ja... zomaar; ik vind het leuk...'

'Als jij met voor mij onbekende jongemannen wilt gaan paardrijden, dan verwacht ik van jou dat jij dat eerst met mij bespreekt.'

'Maar mama heeft geen bezwaar.'

'Dat doet ook niet meer ter zake, want die ritjes zijn toch afgelopen. Ik ben rond met die internationale school in Zwitserland en je vertrekt de volgende week al.' En tot de stalknecht: 'Guus, neem jij het paard van Ilse maar over.'

Gelegenheid om fatsoenlijk afscheid van Ilse te nemen krijgt Toon niet eens meer, want vader Charles leidt zijn dochter aan haar arm met zachte drang naar binnen. Een opgeheven handje is alles voordat de monumentale deur van de statige buitenplaats achter haar in het slot valt.

Toon blijft nog even beduusd staan en keert dan zijn paard. Hij heeft zich erg gestoord aan de hooghartige manier waarop hij door die rijke kerel behandeld is. Eerst al dat domme misverstand waardoor hij voor de nieuwe koetsier versleten werd en dan nog de botte terechtwijzing van zijn dochter. Hijzelf was lucht voor de man; hij werd volkomen genegeerd. Wat een nare vent! De toon waarop hij zijn stalknecht een opdracht gaf klonk ook al zo gebiedend. Op zo'n gebiedend toontje betrapte hij trouwens Ilse ook al eens. Een stukje in haar karakter heeft ze dus van geen vreemde. Heeft hij zich niet te veel blindgestaard op haar mooie koppie en ranke figuurtje? Alle jongens benijden hem erom en zelf kan hij niet genoeg krijgen van haar innige kussen. Maar is het niet alleen de buitenkant die hem aantrekt? Misschien is het wel goed dat ze een poos ver bij hem vandaan naar een Zwitserse kostschool gaat. Ze zijn nog erg jong en aan verkering is hij nog lang niet toe. Als ze erg naar elkaar verlangen dan bieden de vakanties voldoende gelegenheid elkaar af en toe te zien.

Het loopt tegen eind augustus en de dagen korten. Kort na de langste dag gaat het allemaal erg geleidelijk, maar nu is het goed te merken dat het vroeger donker is. Het betekent overigens niet dat de zomer het al laat afweten. Voor de komende week wordt mooi weer verwacht en dat komt goed uit, want de jaarlijkse kermis heeft de bevolking, en vooral de jeugd, weer in haar greep.
'Ga je met Ilse kermisvieren?' vraagt Thomas als Toon weer eens zijn neus laat zien, maar die schudt zijn hoofd.
'Ik merk wel dat jij een poos niet op De Eikenhorst geweest bent, want Ilse zit alweer een tijdje op een kostschool in Zwitserland.'
'Heb je nog afscheid van haar kunnen nemen?'
'Dat is een raar verhaal, Thomas.'
'Vertel op! Je maakt me nieuwsgierig.'
'Ik ben aan een fatsoenlijk afscheid niet toegekomen, want na het laatste ritje dat ik met haar maakte, stond haar vader, toen we bij De Eikenhorst aankwamen, toevallig voor de deur.'
'O jeetje! Foute boel zeker, want volgens mij hield Ilse de ritjes die ze met jou maakte, geheim voor haar vader.'
'Dat is wel duidelijk, want hij was danig in zijn wiek geschoten; ik vond hem zelfs erg onhebbelijk tegenover Ilse en ook tegenover mij.' Daarop vertelt Toon hoe de confrontatie verlopen is en Thomas schudt zijn hoofd.
'Hoewel ik weinig met die man te maken heb, weet ik wel dat het geen gemakkelijk heerschap is. Hij is nogal uit de

hoogte, maar dat heb jij aan den lijve ondervonden.'

'Weet je dat ik in Ilse karaktertrekken van haar vader ontdekte, Thomas?'

'In welk opzicht?'

'Ilse is ook een beetje uit de hoogte en dat is te merken aan de manier waarop ze met het personeel omgaat. Ze is na de trouwerij van mijn moeder en ome Arie even op de Adehoeve geweest en toen verbaasde ze zich erover dat wij zo gewoon met ons personeel omgaan.'

'En dat bevalt jou niet, neem ik aan.'

'Nee, sterker nog: ik heb er een hekel aan. Voor mij zijn alle mensen gelijk. Niemand heeft het recht zich hoger te voelen dan een ander, en zeker niet haar of hem uit de hoogte te benaderen.'

'En dat deed die Charles van Dijssel tegenover jou; maar daar kan Ilse toch niets aan doen.'

'Nee, dat niet, maar ik vind het eerlijk gezegd niet zo erg dat ze een poosje in Zwitserland zit. Ze is mooi en lief en ik ben echt erg op haar gesteld, maar…'

'Je hoeft voor mij niet al je gevoelens bloot te leggen, hoor Toon! Op jouw leeftijd moet je je op geen enkele manier aan een meisje binden. Samen wat uitgaan en een beetje vrijen kan geen kwaad en op een feest met een meisje de bloemetjes buiten zetten al helemaal niet. Vandaar mijn vraag over Ilse, maar je antwoord is duidelijk. Ga je met vrienden kermisvieren?'

'Nee, met een meisje. Afgelopen zondag was ik in het dorpshuis en daar heb ik Geertje Castelein voor de kermis gevraagd. Dat was ik eigenlijk niet van plan, want ik had Kaatje van Egmond op het oog, maar die werd voor mijn neus weggekaapt door mijn stiefbroer Jaap Kootwijk.'

'Geertje is dus tweede keus,' lacht Thomas, maar dat gaat Toon te ver.

'Geertje is ook een mooi en lief meisje, maar ja, je kunt zo je voorkeur hebben, hè? Maar die rotzak was mij te vlug af!'

'Toen jij met Ilse op de bruiloft van je moeder verscheen

was Jaap volgens jou zo jaloers als een aap. Zijn de rollen nu omgedraaid?' Thomas heeft het lachend gevraagd. De zachtaardige Toon die zijn stiefbroer een rotzak noemt. Dat werkt echt op zijn lachspieren. 'Je moet maar denken dat jij de volgende keer weer aan de beurt bent, Toon.'

'Dat weet ik zo net nog niet. Jaap laat haar volgens mij niet meer los en Kaatje durft zeker geen 'nee' te zeggen als hij haar vraagt zijn meisje te worden. Haar vader zou woest zijn, want Jaap is zo'n beetje de aantrekkelijkste partij voor meisjes van zijn leeftijd.'

'Aantrekkelijk? Hoe bedoel je?'

'De boeren Van Egmond en Kootwijk zijn qua grootte aan elkaar gewaagd en bovendien wordt Jaap later boer op de Adehoeve. Geen meisje zal het in haar hoofd halen een aanzoek van Jaap te weigeren. Kaatje zeker niet!'

'Ook niet als ze niets om hem geeft?'

'Jij kent de zeden en gewoonten in deze streek nog onvoldoende, Thomas. In de ogen van de boeren is liefde onzin. Geld trouwt met geld; niet de jongelui zelf, maar de vaders maken dat uit. Jaap zal zelf kiezen en noch Kors van Egmond, noch ome Arie zal tegen die keuze bezwaar maken. Dat weet Jaap en dat weet Kaatje.'

'En dat weet jij.'

'Jammer genoeg wel.'

'Maar Arie Kootwijk is jouw stiefvader. Dan maakt het toch niet uit voor wie Kaatje uiteindelijk kiest? Of zou zij, als ze vrij zou zijn in haar keuze, ook voor Jaap kiezen?'

'Dat denk ik niet.'

'Voor jou.'

'Eerder voor mij dan voor Jaap. Kaatje is heel erg lief, maar ik vis achter het net, want Arie Kootwijk is wel mijn stiefvader, maar ik ben en blijf de zoon van Han Koetsier en die behoorde niet tot de grote boeren.'

'Trek het je niet aan, jongen, en ga fijn feestvieren met Grietje.'

'Nee, met Geertje. Geertje Castelein heet ze en ze is ook erg leuk, hoor! Waarom kom je op de kermisavond niet even kijken? Je kunt dan kennismaken met Geertje. 's Avonds zit iedereen in de grote zaal achter het dorpscafé.'

'Ik zie nog wel, maar ik ga niet hossen, hoor!' Thomas woont al een aantal jaren ver buiten de bebouwde kom van het dorp, maar voor boodschappen is hij toch vaak op de enkele winkels aangewezen. Ook heeft hij als vooraanstaande ingezetene een plaats vóór in de parochiekerk. Aan het verenigingsleven of festiviteiten doet hij echter nooit mee.

Het is stralend weer als de grote feestdag aanbreekt. In het kleine stille dorp is doorgaans niet veel te beleven en dus is iedereen, vooral de jeugd, blij met dat eenmalige vermaak. Na de mis wordt er al een kijkje genomen op het kermisveld. De jongelui pronken met hun kermismeiden, die giechelend aan hun armen hangen. Het wachten is op het ringrijden. Afgesproken is dat Jaap dat zal doen samen met Kaatje van Egmond. Het paard is mooi opgetuigd en de tilbury is versierd. Toon kan een gevoel van jaloezie niet onderdrukken als hij, met Geertje aan zijn arm, het verloop van de wedstrijd gadeslaat en de blozende Kaatje op de tilbury ziet zitten. Jaap heeft nooit veel op met de paardenfokkerij op De Bok, maar voor het ringrijden op deze kermisdag wilde hij niets aan het toeval overlaten en is zoete broodjes gaan bakken met Tinus Groot. De belangstelling van de jonge boer streelde Tinus' ijdelheid en dus stelde hij voor de kermisdag een warmbloedig tuigpaard beschikbaar.

'Hier ga je de eerste prijs mee halen, Jaap,' zei hij en Tinus krijgt gelijk. Niet alleen Toon, maar ook zijn moeder en ome Arie zijn er getuige van. Ze steken hun duimen omhoog en Jaap glimt van trots. Ook vader Arie is erg tevreden met de prestatie van zijn zoon, maar hij had ook zelf met Truitje mee kunnen doen.

'Had jij niet liever zelf op de tilbury gezeten, Trui?' vraagt hij, maar Trui schudt haar hoofd.

'Laten we dat maar aan de jongelui overlaten, Arie.' Toch heeft Arie een tere snaar bij haar geraakt, want met weemoed denkt ze terug aan het ringrijden met Han. Het is lang geleden en een eerste prijs hebben ze nooit gewonnen, maar ze waren jong en genoten met volle teugen van de kermis. Niet alleen van het ringrijden, maar ook van de lol die ze samen op het kermisterrein hadden. Han was met alles haantje de voorste en toen ze nog geen verkering hadden, had hij op de kermis altijd een sliert jongens achter zich. Hij was min of meer de aanvoerder. Een vrolijke Frans was hij en daarom was ze ook gek op hem. Arie was en is een heel andere man, maar zeker niet minder dan Han. Ze is nu erg gelukkig met hem, maar ringrijden en de bloemetjes op deze kermisdag buiten zetten, laat ze maar liever aan de jongelui over.

Maar als ze Toon aankijkt, ziet ze geen blij gezicht, integendeel, hij kijkt met een getergde blik naar het winnende span op de tilbury. Het lijkt wel of hij zijn stiefbroer het succes niet gunt. Enfin, misschien is het verbeelding. Wat Trui niet weet is dat de verbeten trek om de mond van haar zoon niets te maken heeft met de gewonnen rit, maar meer met het gezelschap van zijn stiefbroer.

Op de kermisavond is vooral het dorpscafé met de achterliggende grote zaal het trefpunt van de dorpelingen. Aan de zijkanten van de zaal zijn schragentafels neergezet met stoelen eromheen. In het midden is een ruimte vrijgehouden om als hos- en dansvloer te dienen. Koos Laterveer, de kroegbaas, heeft niets aan het toeval overgelaten, want tijdens de kermis verdient hij meer dan anders in een hele maand. Hij heeft dan ook een paar niet al te preutse meisjes ingehuurd voor de bediening en zelfs een muzikant uit de stad. Als geen ander weet hij dat hij die gemaakte kosten dubbel en dwars terugverdient. Het is al vroeg op de avond erg druk in de kroeg en als de muzikant vrolijke klanken uit zijn trekharmonica tovert, gaan de beentjes van de vloer.

Op aandringen van Toon laat ook Thomas zijn gezicht zien. Eigenlijk is zo'n boerenkermis niets voor hem, maar hij wilde niet botweg weigeren. Toon en Geertje hebben al een goed plaatsje gevonden en als Thomas ze in de gaten heeft, schuift hij bij hen aan tafel en maakt kennis met Geertje. Even later maakt hij ook kennis met Kaatje, want als zij binnenkomt sleept ze Jaap mee naar hun tafeltje. Jaap doet een beetje onwillig omdat er volgens hem weinig plaats is. De echte reden is dat hij liever niet bij Toon en diens kermismeid zit. Als Thomas er twee stoelen bij trekt, kan hij echter niet meer anders.

Thomas, die gewend is met mensen om te gaan, stelt allerlei vragen en het valt hem dan op dat Kaatje meer oog heeft voor Toon dan voor haar eigen kermisvrijer en andersom is dat ook het geval. Maar veel gelegenheid om te praten krijgen ze niet, want de muzikant houdt de stemming er wel in. De waard moedigt hem zonodig aan, want dansen maakt dorstig en daar moet Koos Laterveer het tenslotte van hebben. Hij tapt de glazen vol en de meisjes bedienen de gasten als er even gepauzeerd wordt.

Thomas houdt niet van dansen en heeft een rustig hoekje opgezocht. Daar krijgt hij even later gezelschap van Frans Borst, de tweede knecht op hoeve De Bok. Frans heeft al wat biertjes op en is daardoor nogal loslippig.

'Heb jij geen kermismeid, Frans?' vraagt Thomas, maar Frans schudt mismoedig zijn hoofd.

'Ik zou kermisvieren met Greetje Bavelaar, de meid op De Bok, maar ze is ziek. Nou ja, ziek; elke maand voelt ze zich een dag vreselijk beroerd, als je begrijpt wat ik bedoel.'

'Naar voor haar dat dat juist vandaag is,' vindt Thomas en Frans knikt.

'Zeg dat wel; ik heb ook erg met haar te doen. Je moet het niet verder vertellen, maar ik ben smoorverliefd op Greetje.'

'Zij ook op jou?'

'Ja, ze verwent me. Als Tinus niet kijkt doet ze gauw twee scheppen suiker in mijn koffie.'

'Weet Tinus niet dat jullie verliefd zijn op elkaar?' Thomas heeft schik in de spontane Frans.

'Nee, en hij hoeft het niet te weten ook, want anders gaat hij zich daar ook nog mee bemoeien. Hij moet altijd de eerste viool spelen terwijl ik toch de beste verkoper ben.'

'Van vee bedoel je, want Tinus houdt zich toch bezig met de paarden?'

'Daar is hij goed in, maar laat hij zich dan daartoe beperken en zich wat minder bemoeien met mijn verkopen.' Frans drinkt het biertje dat Thomas voor hem besteld heeft, in één teug leeg en zucht eens diep.

'Heb je er al eens met de bazin over gesproken?'

'Dat durf ik niet. Je weet dat ik als jong maatje op De Bok begonnen ben. Han Koetsier leefde toen nog. Toen die dood was speelde Tinus, die zestien jaar ouder is dan ik, de baas over mij en dat is altijd zo gebleven.'

Dan wordt hun gesprek afgebroken door de feestvierders die hen de hosvloer op trekken. Thomas host even vrolijk mee, maar dan weet hij zich ongemerkt uit de kring los te maken en verdwijnt schielijk door het deurgat.

'Je was plotseling verdwenen,' zegt Toon als hij enkele dagen later bij Thomas op bezoek gaat. 'Vond je het niet leuk?'

'Ja, geweldig!' liegt Thomas. 'Maar toen ik moest gaan hossen ben ik er stiekem vandoor gegaan. Ik had je trouwens gezegd dat ik niet van dat gespring houd.'

'Geeft niet, hoor! Ik vond het echt leuk dat je even kwam kijken. Hoe vind je Geertje?'

'Je vraagt naar Geertje, maar eigenlijk wil je weten hoe ik over Kaatje denk.'

'Hoezo?'

'Omdat je meer oog had voor het meisje van Jaap dan voor

je eigen kermismeid.'

'Was dat zó opvallend?'

'Nogal ja! Trouwens, Kaatje hield ook geen oog van jou af.'

'Ik weet het, Thomas; we hebben het er laatst al over gehad. Kinderen van rijke boeren hebben geen vrije keuze. Daar moeten we mee leren leven. Maar nou iets anders, jij zat een hele tijd te smoezen met Frans Borst. Wat had hij jou toch allemaal te vertellen? Dronkemanspraat zeker, want hij had al aardig zitten hijsen.'

'Frans was een beetje aangeschoten, maar het was beslist geen dronkemanspraat. Hij heeft min of meer zijn nood bij mij geklaagd.'

'Nood? Wat of wie zit hem dwars?'

'Tinus Groot. Frans vindt dat hij de beste verkoper is en dat Tinus zich zou moeten beperken tot de paardenhandel, waar hij goed in is, en zich wat minder met zijn veehandel zou moeten bemoeien.'

'Ik begrijp Frans wel, Thomas. Tinus heeft er wel eens een handje van te pronken met andermans veren, die van Frans in dit geval, want de veehandel drijft grotendeels op Frans. Maar Tinus heeft oudere rechten en bovendien drijft de paardenhandel grotendeels op hem. Hij heeft inmiddels ook van de paardenfokkerij een succes gemaakt.'

'Dat zal allemaal best waar zijn, Toon, maar ik denk dat Frans gewoon wat meer erkenning wil, maar de jongen heeft het mij allemaal met een slok op verteld en dus moet je er een beetje voorzichtig mee omgaan. Misschien wil hij niet eens dat anderen het weten, want op mijn vraag of hij het al eens met je moeder besproken heeft, zei hij dat hij dat niet durfde.'

'Een held op sokken, dus,' concludeert Toon. Maar tijd om nog verder op het onderwerp door te gaan heeft hij niet, want hij moet nog wat naslagwerken raadplegen voor een proefwerk van de volgende dag. 'Zoals je weet zit ik kort voor mijn eindexamen en ik wil wel slagen.'

'Je kunt mij niet wijsmaken dat je bang bent het niet te

halen,' zegt Thomas en Toon bevestigt zijn vriend dan dat zijn kans van slagen erg groot is.

'Ik reken zelfs op een hoge eindscore,' vertrouwt hij hem toe.

'Heb je er al over nagedacht wat je gaat doen als je je HBS-diploma in je zak hebt?'

'De bovenmeester heeft mij destijds geadviseerd naar de HBS te gaan; misschien heeft hij wel een idee.'

'Ik heb ook een idee, Toon.'

'Waar denk jij dan aan, Thomas? Toch niet aan de Rijksacademie van Beeldende Kunsten, hoop ik, want zo kunstzinnig ben ik niet, hoor!'

'Nee, jongen, daar denk ik helemaal niet aan. Jij zit je hele leven al tussen het vee, waarvan een deel ook paarden.'

'Ik weet al wat je gaat zeggen, Thomas, want toen ik naar de HBS ging zei je al dat kennis nodig is om een bedrijf als De Bok te kunnen leiden. Mijn moeder is er ook steeds van uitgegaan dat ik later de leiding van haar bedrijf op me zal nemen, maar ik weet niet of ik daar wel zin in heb.'

'Jij trekt te vlug conclusies, Toon. Als ik constateer dat jij je hele leven al tussen koeien en paarden zit, dan denk ik aan een studie voor veearts.'

'Veearts?' reageert Toon verbaasd. 'Maar dat is een hele studie, hoor! Hoe kom je daar nou bij?'

'Er is behoefte aan veeartsen, want in de empiristen hebben boeren niet zoveel vertrouwen. Die wijsheid heb ik niet van mezelf, maar dat hoorde ik van mijn neef die veearts is. Hij heeft gestudeerd aan de Rijksveeartsenijkundige school in Utrecht. Als je zijn mening eens wilt horen dan kunnen we er wel een keertje heen gaan. Hij heeft een goedlopende praktijk in de buurt van Delft.'

'Zo, dat is niet naast de deur.'

'Och, met de trein ben je er zo!' Thomas heeft al heel wat afgereisd in zijn leven. 'Maar probeer eerst je diploma te halen en dan praten we verder.'

Er wordt feestgevierd op de Adehoeve, want Toon is met glans door zijn eindexamen voor de HBS gekomen. Meneer pastoor, de bovenmeester en Thomas komen feliciteren. De laatste twee zijn er zich van bewust dat ze een rol gespeeld hebben bij de beslissing van Toon om na de lagere school door te leren. En daar is het niet bij gebleven, want inmiddels is Toon er wel van overtuigd dat een studie voor veearts zo gek nog niet is. Aanvankelijk had hij nog wat angst dat die studie te zwaar voor hem zou zijn, maar dat hebben zowel Thomas als de bovenmeester hem uit het hoofd gepraat. Toch gaat Toon niet over één nacht ijs en herinnert Thomas aan zijn voorstel eens bij diens neef, die veearts is, langs te gaan.

'Ik ga mijn neef een briefje schrijven en zodra ik antwoord heb, geef ik je een seintje,' belooft Thomas en hij houdt zich aan zijn woord.

Het is begin juli en stralend weer als Thomas vroeg in de morgen zijn jonge vriend Toon Koetsier afhaalt bij de Adehoeve. Van neef Coen Hoveling heeft hij antwoord ontvangen dat hij en zijn protégé van harte welkom zijn om aan het beroep van veearts 'te ruiken'.

'Mijn neef heeft gevoel voor humor, Toon, en hij heeft me ooit verzekerd dat dat in zijn beroep van pas komt, want volgens hem moet je kunnen relativeren, omdat boeren soms stronteigenwijs zijn. Enfin, je zult het wel merken als we er zijn.'

'Ik ben benieuwd,' zegt Toon en samen met Thomas geniet hij van het mooie weer en de rit naar het station in Leiden. Vandaar zullen ze de trein naar Delft nemen en met een huurkoetsje doorrijden naar neef Coen, die net buiten Delft zijn praktijk heeft.

'Welkom in mijn nederige stulp.' Met uitgestoken hand treedt Coen Hoveling zijn bezoekers tegemoet en hij moet lachen om het verbaasde gezicht van Toon. Die ziet in plaats van 'een nederige stulp' een fraaie rietgedekte villa met aangebouwde praktijkruimte.

'Dat ziet er niet zo nederig uit,' kan hij niet nalaten op te merken en Coen knikt.

'Als je je werk als veearts goed doet, dan kun je je op den duur zoiets permitteren, Toon, want zo heet je toch?'

'Ja, aangenaam kennismaking, ik ben Toon Koetsier en ik vind het een voorrecht met u over het beroep van veearts te mogen praten.'

'Genoeg formaliteiten! We gaan eerst bij mijn vrouw een kop koffie drinken waarna ik je het lab zal laten zien en je vragen zal beantwoorden. Ik heet Coen en mijn vrouw heet Nora.' Door het joviale optreden van de veearts is het ijs meteen gebroken. Thomas is al naar binnen gelopen om zijn nicht te begroeten.

Het wordt een gezellig koffieuurtje, want de veearts en zijn vrouw zijn geestige vertellers. 'Behalve voor spoedgevallen heb ik voor deze morgen de praktijk gesloten,' zegt Coen. 'Voor iemand die plannen heeft een studie voor veearts te gaan volgen, heb ik graag wat tijd ingeruimd.'

'Ik heb hem geadviseerd, Coen, want echte plannen had Toon niet,' zegt Thomas.

'Dat is dan een goed advies, Thomas, want veearts is een prachtig beroep. Laten we eerst maar eens een kijkje gaan nemen in het laboratorium.'

'Niet zo overdrijven, Coen,' lacht Nora. 'Je laat Toon het hokje zien waar je de pillen en drankjes klaarmaakt.'

'Let maar niet op mijn vrouw, Toon,' reageert Coen en hij gaat hem voor naar zijn laboratorium en legt uit hoe hij altijd te werk gaat. Het duizelt Toon een beetje, maar hij vindt het wel interessant en kennelijk stelt hij de juiste vragen, want Coen geeft hem daar complimenten voor.

In een hoek van het laboratorium staan een tafel en enkele stoelen en daar gaan ze zitten. 'Ik heb mijn studie al meer dan tien jaar geleden afgerond, maar als je daar vragen over hebt, dan kan ik ze nog wel beantwoorden, hoor! Of zal ik vertellen wat de studie voor veearts zoal inhoudt?'

'Ja, doe dat maar, want ik weet niet precies wat ik moet vragen. Ik houd van beesten en ik ben tussen de paarden en koeien opgegroeid. Inmiddels ben ik met goede cijfers geslaagd voor mijn HBS-examen.'

'Beide zijn een goede basis, Toon, maar je moet er rekening mee houden dat je minstens zes jaar studie voor de boeg hebt. Het eerst jaar wordt aandacht besteed aan natuur- en scheikunde, waarna je ruim twee jaar later kandidaatsexamen moet afleggen. Dan weet je al het nodige van anatomie, functies van het hart en zo meer. Nog eens twee jaar later ben je toe aan het doctoraal examen en als je daarvoor slaagt dan mag je je medisch veterinair doctorandus noemen.'

'Dan ben ik dus klaar,' concludeert Toon, maar Coen schudt zijn hoofd.

'Nog niet. Je bul krijg je pas als je het dierenartsexamen met goed gevolg hebt afgelegd. Daarvoor is het nodig dat je in de laatste fase als co-assistent met echte dieren hebt gewerkt.'

'Misschien zou ik dat wel kunnen combineren met de praktijk op hoeve De Bok, het bedrijf van mijn moeder.'

'Dat zou kunnen, Toon, maar echte praktijkervaring doe je pas later op tussen de boeren en wel met vallen en opstaan. Verbeeld je niks, want de boeren staan erg kritisch tegenover een jonge onervaren veearts.'

'Heb je dat zelf ook ondervonden?'

'Reken maar! Ik castreerde eens een hengst en ontdekte dat het beest ook een navelbreuk had. De boer en diens zoons hielden de hengst vast bij de voorbenen, het hoofd en de achterbenen. De wond moest secuur en met dik garen worden dichtgenaaid, wat een moeilijk werkje was. Toen de hengst enigszins uit de verdoving bijkwam, sloeg hij achteruit en trapte mij een paar meter van zich af. Ik bleef pijnlijk getroffen en versufd liggen, maar denk je dat de boer zich om mij bekommerde? Welnee! 'Die komt wel weer bij, laten we eerst het paard maar verzorgen,' zei de hufter. Je weet dus wat je te wachten staat. Heb je er nog zin in?' Het laatste heeft Coen lachend gevraagd.

'Ik kom van een paardenfokkerij en ik weet hoe onberekenbaar die beesten soms zijn. Mijn vader zei altijd: 'Paarden zijn ongevaarlijk als je maar weet dat ze gevaarlijk zijn', en dat vind ik een wijze les.'

'Ik ook, Toon. Heb je nog vragen?'

Toon schudt zijn hoofd en op dat moment komt Thomas met het horloge in zijn hand vragen hoe ver ze zijn.

'Toon heeft geen vragen meer en ik heb mijn best gedaan hem zo goed mogelijk te informeren, dus ik denk dat we alles wel besproken hebben, Thomas.'

'Prachtig, dan houden we je niet langer op, Coen.' En tot Toon: 'Ben je tevreden?'

Toon knikt enthousiast en bedankt zijn gastheer voor de informatie en goede raad en dan vertrekken ze naar het station.

Op de valreep roept Coen Toon nog na dat hij goede herinneringen heeft aan zijn hospita in Utrecht en dat hij desgewenst een goed woordje voor hem wil doen.

HOOFDSTUK 5

Toon Koetsier is student en daarvan lopen er niet veel rond in het kleine dorp aan de Adevaart, sterker nog, het zijn er maar twee. Toon studeert voor veearts aan de Rijksvee-artsenijkundige school in Utrecht en een zoon van de bovenmeester studeert rechten aan de universiteit van Leiden. Het voordeel van de laatste is dat hij gewoon thuis kan slapen, want de afstand van het dorp naar de stad is op de fiets goed te doen. Toon zelf heeft het gedurende de jaren dat hij op de HBS zat dagelijks gedaan. Nu hij in Utrecht studeert is hij maar één keer in de maand een weekeinde thuis. Moeder Trui kijkt altijd uit naar zijn komst, want zij mist hem erg. Ook Lien is blij als haar broer na een lange maand weer thuis is. Evenals haar moeder mist zij Toon. Wie Toon helemaal niet mist is Jaap. Hij ziet hem liever gaan dan komen en loopt zelfs de kamer uit als Toon gaat vertellen over het studentenleven. Wat hem daarbij extra steekt is dat Kaatje, die inmiddels zijn meisje geworden is, wel geïnteresseerd is in de belevenissen van Toon.

Het is gegaan zoals Toon al voorspelde. Toen Jaap haar kort na de kermis vroeg zijn meisje te worden, kon zij niet weigeren. De korte bedenktijd die zij verlangde benutte zij om er met haar vader over te praten. Zij maakte hem duidelijk dat ze niets voor Jaap voelde en liever nog wat zou wachten, maar vader Kors van Egmond vroeg verontwaardigd of ze gek geworden was. 'Hoe haal jij het in je stomme kop om bedenktijd te vragen aan Jaap,' reageerde hij woedend. 'Straks beschouwt hij het als een afwijzing en kiest hij voor een andere boerendochter. Besef jij dan niet dat Jaap Kootwijk de beste partij is van het dorp? Ik ga vanavond nog naar de Adehoeve om te redden wat nog te redden valt en zal Arie en Jaap Kootwijk wel zeggen dat er een misverstand in het spel is.'

Die avond trok Kors van Egmond zijn zondagse pak aan en

maakte zijn opwachting bij de Adehoeve.

'Kors! Wat verschaft mij de eer van jouw bezoek?' Arie Kootwijk was verbaasd de opgedofte boer van de Meerhoeve te mogen verwelkomen. In zijn ogen moest er wel iets bijzonders aan de hand zijn, want voor een buurpraatje komt een boer gewoonlijk in zijn dagelijkse kloffie.

'Is Jaap ook thuis, Arie?'

'Ja, we zitten in de huiskamer; kom binnen en drink een kom koffie met ons mee.' De begroeting was vervolgens hartelijk en Trui sloofde zich uit om het haar gast naar de zin te maken.

'Het doel van mijn komst is om te praten over Kaatje,' viel Kors met de deur in huis. 'Ze wil weten hoe ik denk over het aanzoek van Jaap.'

'Hoe u erover denkt?' Jaap zat op het puntje van zijn stoel en begreep niet wat de boer bedoelde.

'Ja, dat vroeg ze.'

'Aan mij vroeg ze bedenktijd en dat is toch wat anders.'

'Dat heb je dan verkeerd begrepen, Jaap,' haastte de boer zich te zeggen. 'Zij wil natuurlijk graag met jou gaan verkeren, maar ze wil ook wel weten wat ik ervan vind. Om kort te gaan: mijn zegen hebben jullie, Jaap.'

'Mijn zegen ook, jongen,' reageerde Arie en daarmee was de verkering tussen Jaap Kootwijk en Kaatje van Egmond een feit.

Trui let op de verbeten trek om de mond van Jaap als hij de kamer verlaat en op de uitdrukking op het gezicht van Kaatje. Was de bedenktijd die Kaatje destijds vroeg echt een misverstand, zoals Kors van Egmond hen wilde doen geloven? Jaap zelf was ook verbaasd over de uitleg van de boer. De zachte, bijna verliefde blik in de ogen van Kaatje als ze Toon aankijkt, verklaart de verbazing van Jaap overduidelijk. Nooit heeft het geboterd tussen Jaap en Toon en dat komt voornamelijk omdat Jaap jaloers is op haar jongen. De hatelijke opmerkingen van Jaap ergeren haar al erg lang. In de ogen van Jaap is Toon de meneer en is hij de boer. Als kind voelde hij zich de meerdere van Toon, maar de rollen zijn al heel lang omgekeerd. Toon kan daar niets aan doen. Hij kan goed leren, maar de kennis komt hem niet aanwaaien, hij moet er hard voor werken. Jaap denkt dat hij het zwaarder heeft dan zijn stiefbroer, maar is dat zo? Is geestelijke arbeid niet even zwaar als lichamelijke? Maar Jaap is kennelijk niet voor rede vatbaar en nu is hij ook al jaloers op Toon, omdat Kaatje meer notitie van hem neemt dan Jaap lief is. Demonstratief met een kwaaie kop de kamer uit lopen is geen manier van doen. Zij moet er eens met Arie over praten, maar terwijl ze het denkt vraagt ze zich af of dat wel zinvol is. Arie is een beste vent en erg lief voor haar, maar als het gaat om de opvoeding van de jongens heeft ze wel wat kritiek op hem. Het zit gewoon-weg niet in zijn aard om eens van leer te trekken als dat nodig is en wat Jaap betreft is dat zeker het geval. Toon kiest meestal de wijste partij en negeert de botte houding van zijn stiefbroer, maar die vijandige houding van Jaap komt de sfeer in huis niet ten goede. Nu hij jaloers is omdat Kaatje kennelijk niets anders doet dan dat wat haar hart haar ingeeft, is het hek helemaal van de dam. Ze hoopt dat ze zich vergist, maar als ze ziet dat Toon Kaatje met een zachte blik in zijn ogen volgt waar ze ook gaat, maakt ze zich echt zorgen. Natuurlijk begrijpt ze heel goed waarom Kaatje voorkeur heeft voor haar jongen. De karakters van die twee passen zo goed bij elkaar. Jammer toch dat onder rijke boeren geld een grotere rol speelt dan liefde, maar zij maakt onderdeel uit van die boerengemeenschap en dat geldt ook voor Kaatje en Toon. Als die twee gevoelens voor elkaar koesteren dan zullen ze die diep weg moeten stop-pen. Zij kan en wil zich er niet mee bemoeien.

De gevoelens voor Kaatje die Trui bij haar zoon veronder-stelt zijn niet van vandaag of gisteren. Sinds hij tot de slot-som gekomen is dat Ilse niet het meisje is waarmee hij vaste verkering zou willen hebben, zijn zijn gevoelens voor Kaatje intenser geworden. Toch is hij reëel genoeg om te weten dat hij die gevoelens in toom moet houden, want het is niet erg sportief om onder de duiven van zijn stiefbroer te schieten. Er openlijk voor uit komen kan ook al niet, want daarmee brengt hij Kaatje in moeilijkheden. Van Lientje heeft hij gehoord hoe het laatste bezoek van Kors van Egmond verlopen is en daar is hij niet vrolijk van geworden.

'Die boer stond te liegen, Toon,' vertelde ze hem met een verontwaardigd gezicht. 'Kaatje had aan Jaap bedenktijd gevraagd, dat zei Jaap zelf, maar volgens de vader van Kaatje was dat een misverstand en wil ze juist graag met Jaap gaan verkeren.'

'En dat geloof jij niet,' veronderstelde hij en Lientje schudde toen heftig haar hoofd.

'Het is een ordinaire koppeling, Toon. Als je maar weet dat ik me aan niemand laat koppelen, hoor! Ik kies voor een jongen waar ik van houd en niet omdat hij geld heeft.'

'Jij wordt niet gekoppeld, meisje,' stelde hij haar gerust. Ja, Toon durfde haar die geruststelling te geven, want hij is er wel zeker van dat zijn moeder dat nooit zou willen. Hoewel zij met ome Arie getrouwd is heeft hij toch weinig zeggingschap over hem en Lientje, zoals moeder weinig zeggingschap over Jaap en Hein heeft. Formeel heeft ome Arie dat recht misschien wel, maar het is een zachte man en hij zou dat recht nooit opeisen. Van Lientje heeft hij trouwens begrepen dat dat koppelen van Jaap en Kaatje voornamelijk door Kors van Egmond gedaan is. Ome Arie had geen bezwaar en waarom zou hij ook.

'Moe heeft zich er helemaal niet mee bemoeid,' wist Lientje nog te vertellen en dat verbaast Toon niet. Toch zit het hele geval hem niet lekker en hij zou er wel eens met moe over willen praten. Dat Kaatje niks om Jaap geeft is hem wel duidelijk, maar hoe staat het met Jaap zelf? Houdt die echt van dat meisje? Stel dat dat niet het geval is en het gaat uitsluitend om het geld, is het dan niet erg kwalijk zo'n stel te laten trouwen? Het zou zo anders kunnen! Hij vindt Kaatje ontzettend lief en zij hem waarschijnlijk ook en toch moeten zij hun gevoelens voor elkaar onderdrukken. En wat is hij minder dan Jaap? Hij voelt zich allerminst de mindere, maar hij is wel student en een student heeft al zijn aandacht nodig voor zijn studie. Door zich druk te maken om een meisje wordt hij eigenlijk te veel afgeleid. Verstandelijk kan hij het allemaal goed beredeneren, maar verstand en gevoel botsen soms.

Op de Rijksveeartsenijkundige school heeft Toon het goed naar zijn zin. De lesstof valt hem niet te zwaar en de colleges zijn erg interessant. Met zijn hospita heeft hij het uitstekend getroffen, want hij wordt, zoals hij het zelf noemt, 'in de boter gebraden'. Coen Hoveling, de veearts uit Delft, heeft een goed woordje voor hem gedaan en daar is hij hem erg dankbaar voor. Jet Haarsma is dan ook een erg lief mens. Bij de eerste kennismaking sprak hij haar met 'mevrouw' aan, maar dat vond ze veel te deftig.
'Noem mij maar Jet, want ik ben een gewone vrouw en van die deftigheid moet ik niks hebben,' zei ze met haar onvervalste Utrechtse accent. 'Jij bent gestuurd door die kwajongen van Hoveling, hè?'
'Kwajongen? Coen Hoveling is een respectabele veearts.'
'Ik heb hem niet anders gekend dan als een kwajongen.'
'Was hij lastig?' Toon had schik in het kordate wijfje.
'Nee, integendeel, hij was erg lief, maar hij zat vol streken waar ik toch meestal om moest lachen. Ik mis hem nog steeds. Jij moet ook wel een goeie jongen zijn, want anders had hij jou niet naar mij toe gestuurd.'
Net als bij zijn bezoek aan Coen Hoveling was ook hier het ijs gauw gebroken en sedertdien doet hij zijn best haar kwalificatie van 'een goeie jongen' waar te maken. Hij brengt af en toe een bosje bloemen voor haar mee en dat stelt Jet heel erg op prijs.

Als de grote vakantie aanbreekt en ze voor een maand afscheid van hem moet nemen, worden haar ogen zelfs vochtig. Als Toon het ziet krijgt hij een brok in zijn keel en geeft haar een kus op beide wangen. 'Als ik terugkom breng ik een cadeautje voor je mee, Jet,' belooft hij haar en dan aait ze hem even over zijn wang; een lief gebaar dat hem ontroert.

De beste praktijkervaring doet Toon op als hij zijn vakantie doorbrengt op hoeve De Bok, maar moeder Trui is daar niet zo blij mee. Niet dat hij daar niet mag helpen, maar hij heeft er ook zijn intrek genomen en dat gaat haar wat ver.
'Je kunt hier toch gewoon eten en slapen; waarom wil je toch per se op De Bok verblijven? We zien je hier maar één weekeinde per maand en nu je een maand vakantie hebt, ontglip je me weer.'
'Ik ontglip je niet, moe, maar het gekke is dat ik me na zoveel jaren daar toch het beste thuis voel. Ik slaap op mijn eigen slaapkamer en ik eet in de grote keuken waar wij vroeger ook altijd aten.'
'Maar daarmee bezorg je Greetje Bavelaar toch veel extra werk. Ik betaal het kind voor halve dagen, maar met nog iemand in de volle kost met inwoning heeft ze daar niet genoeg aan.'
'Geef haar dan wat meer! Ze kookt heerlijk en mijn slaapkamer ziet er altijd tot in de puntjes verzorgd uit.'
'Ja, vrouwen en meisjes zijn allemaal gek met jou. Als ik jouw verhalen over je hospita in Utrecht hoor, dan word je daar ook al veel te veel verwend.'
'Maar ik ben ook gek met vrouwen en meisjes, hoor moe!' Toon wil zijn armen om zijn moeder slaan, maar zij is hem te vlug af.
'Houd op, zot jong!' zegt ze en dan realiseert ze zich voor het eerst dat Toon geen kind meer is, maar de volwassenheid nadert. De tijd dat ze hem 'onder haar rokken' kon houden is definitief voorbij en eigenlijk spijt dat haar. Een

lieve jongen is het en ze begrijpt heel goed waarom die Jet Haarsma uit Utrecht zo op hem gesteld is. Een bloemetje brengt hij af en toe voor haar mee en als hij na de vakantie terug naar Utrecht gaat zal hij een cadeautje voor haar meebrengen. Ze zal hem er tegen die tijd nog wel aan herinneren, want zo'n lieve vrouw mag hij zeker niet teleurstellen. Dat zal hij ook niet doen, maar voor alle zekerheid zal ze hem er toch maar aan herinneren.

Op hoeve De Bok heeft Toon te maken met Tinus Groot en Frans Borst, maar daar is ook zijn stiefbroer Hein. Een lastig mannetje vroeger, vooral voor Lientje, maar nu hij wat ouder is, is dat wel veranderd. Hein is met zijn zeventien jaren erg leergierig en hij staat er met zijn neus bovenop als Toon zijn mening geeft over een ziek paard. Toon zit nog maar kort op de veeartsenijkundige school en de colleges gaan nog in hoofdzaak over natuur- en scheikunde, maar in de ogen van Hein is zijn stiefbroer al zo'n beetje een halve veearts. Met Frans bemoeit Hein zich nauwelijks, maar van Tinus wil hij alles over paarden leren en dan is hij goed gestuurd, want Tinus weet er heel wat vanaf. Maar in Tinus ziet Hein ook de baas, degene die de taken verdeelt. Ook als die taken betrekking hebben op het vee, de afdeling waar Frans zich mee bezighoudt.

Als dat aan de orde is merkt Toon dat er een spanningsveld tussen de twee knechten is. Maar er valt hem nog meer op. Bij Thomas heeft Frans tijdens de laatste kermis zijn nood geklaagd en toen en passant verteld dat hij verliefd is op Greetje Bavelaar, de meid op de hoeve. Tinus wilde hij onkundig laten van zijn liefde voor Greetje omdat die zich er wellicht ook nog mee zou gaan bemoeien, maar een blinde kan zien dat die twee gek op elkaar zijn en dus moet Tinus dat wel in de gaten hebben. Of hij zich ermee bemoeit weet hij niet, maar wat meer vrijheid voor Frans, die inmiddels een volwassen kerel is, zou best kunnen. Misschien moet hij er toch eens met moeder over praten.

101

Hoewel Trui zich heeft neergelegd bij de beslissing van Toon om het leeuwendeel van zijn vrije tijd door te brengen op De Bok, heeft ze er toch wat moeite mee. Zijn bewering dat hij zich daar zo echt thuis voelt kan wel kloppen, maar is er niet een nog belangrijker reden? Zit Jaap hem te veel in de weg? Het zou haar niet verbazen, want de houding van Jaap is echt heel onhebbelijk, maar Toon is haar eigen kind en die moet zich niet door een zoon van Arie laten verjagen. 'Ik begrijp best dat je op De Bok met wisselend vee en paarden meer ervaring opdoet dan hier, maar zondag is een rustdag en dan wil ik wel dat je hier blijft en ook hier slaapt, anders zien we je hier helemaal nooit meer,' verzucht ze als Toon even thuis is.

'Ik zal jou zeker niet vergeten, hoor moe!' Toon slaat zijn armen om haar heen en drukt haar tegen zich aan. 'Weet je, moe, als ik in mijn oude kamer lig is het weer net als vroeger en aan die tijd met pa er nog bij heb ik zulke fijne herinneringen.'

'Dat geloof ik wel, jongen,' snikt Trui, want de woorden van haar kind en de verwijzing naar zijn gelukkige kindertijd ontroeren haar.

'Moet je daar om huilen, moe?' Toon drukt zijn lieve moeder wat vaster tegen zich aan en hij moet nu zelf ook zijn best doen om de opkomende waterlanders terug te dringen. 'Och, laat me maar, jongen, het gaat alweer. Ik kreeg het even te kwaad doordat jij me herinnerde aan vroeger toen pa nog leefde.'

'Maar je bent hier nu toch ook gelukkig met ome Arie.'

'Natuurlijk! Ome Arie is erg goed voor me en we kunnen het samen heel erg goed vinden. Ik zou willen dat de verhouding tussen jou en Jaap ook wat beter zou worden.'

'Van jongs af aan botert het niet tussen mij en Jaap. Wat ik moet doen om de verhouding te verbeteren weet ik zo langzamerhand niet meer, hoor! Ik ben me er niet van bewust hem aanleiding te geven zo bokkig te doen.'

'Ik meen begrepen te hebben dat Jaap doorleren iets

vindt voor rijkeluiszoontjes.'

'Ja, dat klopt, moe. Vroeger heb ik hem wel eens gevraagd of hij zou willen doorleren, maar daar had hij absoluut geen zin in, dus waar maakt hij zich druk om?'

'Waar maakt hij zich druk om?' herhaalt Trui de woorden van haar zoon. Jaap is jaloers, maar dat woord wil zij niet in de mond nemen, want gaat het alleen om het doorleren van Toon of is er meer? Speelt ook Kaatje hier een rol in? Ze kan alleen maar iets vermoeden, maar er met Toon over praten wil ze niet. Daarom informeert ze maar naar de gang van zaken op De Bok. Ze komt er nog geregeld, maar de hele bedrijfsvoering moet ze toch grotendeels aan de knechten en aan het toezicht van Arie overlaten. Wel houdt ze oog op de financiële afwikkelingen.

'Weet je dat Tinus veel leest over paarden, moe? Hij verdiept zich tegenwoordig vooral in de fokkerij en je zult zelf wel gemerkt hebben dat hij daar succes mee heeft.'

'Ja, dat heb ik in de gaten en dat hij er veel verstand van heeft weet ik ook. Als Hein thuiskomt heeft hij er altijd de mond van vol.'

'Hein is erg leergierig en het is ook een fijne knul geworden. Nu ik hem dagelijks meemaak zie ik het verschil met vroeger.'

'Hein heeft het karakter van zijn vader. Vroeger pestte hij Lientje, maar dat was kwajongenswerk. Nu weet hij niet wat hij moet doen om het haar naar de zin te maken. Maar om op De Bok terug te komen: ome Arie vindt dat Hein zich ook wat meer moet verdiepen in de veehandel.'

'Daar heeft ome Arie groot gelijk in, maar dan moet Hein in de leer bij Frans, want zo goed Tinus is in de paardenhandel, zo goed is Frans in de veehandel.'

'Misschien wel beter,' veronderstelt Trui.

'Dat klopt. Tinus heeft aan zijn kennis van paarden te danken dat men graag bij hem koopt, maar Frans is toch een beter verkoper, hij is gewiekster dan Tinus.'

Over de liefde van Frans voor Greetje Bavelaar vertelt hij zijn moeder maar niets.

Het verblijf van Toon tijdens zijn vakantie op hoeve De Bok levert nog een verrassing op. Op een dag komt Ilse van Dijssel met een oud paard van thuis dat eigenlijk voor de slacht bestemd is, maar Ilse heeft daar moeite mee. Ze gunt het oude beest, dat naar de naam Dolly luistert, nog enkele gelukkige jaren op De Bok.

'Leuk dat ik jou hier tref, Toon; jij hebt natuurlijk ook vakantie,' zegt ze en kijkt hem met haar mooie ogen aan. Ze hebben elkaar een hele poos niet gezien en weer komt Toon onder de bekoring van haar charme en schoonheid. Ilse is geen meisje dat bij hem past, maar ze is wel uitzonderlijk mooi.

'Ja, ik heb vakantie, jij ook?'

'Gelukkig wel, want op die kostschool in Zwitserland zijn ze behoorlijk streng. Leren en nog eens leren, en uitgaan, ho maar!'

'Moet je daar nog lang blijven?'

'Nee, nog een goed jaar en dan zit het er gelukkig op.'

'Wat ga je dan doen?'

'Dat weet ik nog niet. En wat doe jij nu?'

'Ik zit op de Rijksveeartsenijkundige school in Utrecht; ik word opgeleid voor veearts.'

'Echt waar? Wat interessant! Heb je daar een huis gehuurd?'

'Een huis? We zijn niet armlastig, maar een heel huis huren lijkt me wat overdreven.'

'Nou ja, ik dacht zo, je moet toch wonen?'

'Dat doe ik ook bij een heel lieve hospita. Jet Haarsma heet ze en ik word door haar nogal verwend.'

'Wie zou jou niet willen verwennen?' Uit de manier waarop het mooie meisje hem aankijkt leidt Toon af, dat hij nog steeds een warm plekje in haar hart heeft. Van zo'n mooi meisje zou je eigenlijk moeten houden, maar van mensen zoals zij zeggen ze dat ze met een gouden lepel in hun mond geboren zijn en dat blijkt ook wel weer. Hoe kan ze nou denken dat hij voor zichzelf alleen een heel huis in Utrecht gehuurd heeft? Nee, hoe mooi en lief ze ook is, hij blijft erbij dat ze geen meisje voor hem is. Kaatje is een gewoon boerenmeisje en ze is ook knap, maar anders dan Ilse. Ze is lief en bescheiden en draagt de kleding zoals die in het dorp gebruikelijk is. Kaatje past wel bij hem, maar helaas zal zij nooit zijn vrouw worden, evenmin als Ilse.

'Wat heb je daar voor een paard bij je, Ilse?' Toon vindt de oude knol niet erg passen bij het frêle meisje.

'Dit is Dolly. Het is een oud paard van mijn moeder, maar ze rijdt er al een hele poos niet meer op. Vader wil hem laten slachten, maar dat vinden moeder en ik geen goed idee.'

'Wat wil je dan?'

'Ik zou Dolly hier willen laten, zodat het beest nog een poos van het leven kan genieten.'

'Maar oude koeien en ook paarden worden toch geslacht als ze niet meer nuttig zijn, Ilse.'

'Volgens de normen van pa en van jullie hier, maar niet volgens de normen van mijn moeder en mij. Als een oud mens niet meer nuttig is doe je hem toch ook niet weg, laat staan dat je hem doodmaakt.'

'Dat is toch geen vergelijking, Ilse!' Toon is een jongen van het boerenland en voor hem zijn beesten er ten nutte van de mens en niet andersom. Je moet ze goed behandelen, maar als ze hun nut verloren hebben gaan ze naar de slager. Hij zegt het ook, maar Ilse wil er niets van weten.

'Als mijn moeder en ik het nou fijn vinden dat Dolly nog een poosje onbezorgd van het leven kan genieten, wat is daar dan op tegen?'

'Nee, niets,' moet Toon toegeven, hoe vreemd hij de redenering van Ilse ook vindt. 'Nou, laten we het Tinus maar vragen.'

'Dit is Ilse, Tinus, ze wil je wat vragen.'

'Dat je Ilse heet weet ik wel, want je was hier al eerder met Toon. Wat kan ik voor je doen, jongedame?'

'Dolly is een oud rijpaard, meneer, en …'

'Dat het een oud paard is zie ik wel,' onderbreekt Tinus het meisje, 'en ik zie ook dat hij rijp is voor de slager.'

'O, begint u ook al!' kermt Ilse. 'Ik kom juist om te vragen of Dolly, nu ze niet meer gebruikt wordt, hier haar oude dag zou kunnen slijten.'

'Wat vraag je me nou?' lacht Tinus. 'Ik handel al jaren in paarden en wij hebben daarin een goede naam opgebouwd, maar De Bok is geen rustoord voor ouwe knollen. Dus daarvoor zul je een ander zo gek moeten zien te krijgen, juffie.' Tinus draait zich om en wil weer aan het werk gaan, maar Toon houdt hem tegen, want hij wordt getroffen door de teleurgestelde blik van Ilse.

'Wacht even, Tinus,' roept hij dan ook. 'Ook ik heb Ilse gezegd dat Dolly rijp is voor de slager, maar als het lieve kind het paard een verzorgde oude dag wil geven, wat is daar dan op tegen? Ik neem aan dat je ervoor wilt betalen, hè Ilse?'

'Ja, natuurlijk; het gaat mijn moeder en mij erom dat het beest goed verzorgd wordt en we betalen de kosten die daarvoor gemaakt worden met liefde.'

'Je hoort het, Tinus, dus lijkt het mij niet bezwaarlijk Dolly hier te stallen.'

'Het lijkt jou niet bezwaarlijk, Toon, maar mij wel.'

'Waarom dan?'

'Om de reden die ik zojuist noemde.'

'Maar kun je dan geen uitzondering maken?' Toon windt zich op. Wat verbeeldt die knecht zich wel, maar dat Tinus zich heel wat verbeeldt laat hij merken. Hij schudt zijn hoofd en als Toon nog verder aandringt wordt hij kwaad.

'Wie heeft hier nou eigenlijk de leiding, jij of ik?'

'Doe nou niet zo formeel, Tinus; ik wil Ilse graag helpen en daar moet jij begrip voor hebben.'

'Ik moet niks en ik heb ook geen tijd meer om naar die onzin te luisteren.' Tinus draait zich om en beent met grote stappen richting stal.

'Wat een nare man is dat,' kan Ilse niet nalaten te zeggen. Ze is echt teleurgesteld en Toon is woest. Hij voelt zich door de knecht behandeld als een kleine jongen en daarbij komt nog het gezichtsverlies tegenover Ilse. Als ze ook nog zegt niet te begrijpen hoe een knecht zich zó tegenover de zoon van de bazin kan gedragen, begint hij te geloven dat zij hier wat te tolerant zijn ten opzichte van het personeel. 'Ik zie al gebeuren dat onze paardenknecht Guus zo'n standpunt zou innemen; hij vloog meteen de laan uit,' stelt Ilse vast en voor het eerst heeft Toon begrip voor haar mening.

'We gaan naar de Adehoeve, Ilse,' besluit Toon en hoewel Dolly oud is kan ze twee ruiters nog met gemak naar de Adehoeve dragen.

'We moeten voortaan altijd maar samen op één paard gaan,' vindt Ilse als Toon haar opvangt terwijl ze zich van de rug van Dolly laat zakken. Zich stevig aan hem vastklemmend heeft ze een heerlijk kwartiertje gehad.

'Laat het beest voorlopig maar hier,' zegt Trui als ze het verhaal van Toon heeft aangehoord. Hoewel ze begrip heeft voor het standpunt van Tinus, keurt ze zijn starre houding toch af. Als er nou dagelijks mensen met oude knollen zouden komen dan was het wat anders, maar als haar eigen zoon nou aandringt wat verbeeldt die Tinus zich dan om te weigeren. Als Arie erbij komt praat ze er ook over met hem en hij deelt haar standpunt. Dolly vindt dus voorlopig onderdak op de Adehoeve. Maar dan moet er nog een barrière genomen worden, want Jaap ziet de komst van 'die ouwe knol' helemaal niet zitten.

'Wat hebben we aan zo'n beest? Hij mag niet voor de kar gespannen worden en paardrijden doen we hier niet. Dat is iets voor studenten,' voegt hij er met een hatelijke blik richting Toon aan toe. Moeder Trui is onaangenaam getroffen door de sarcastische opmerking van haar stiefzoon en ze besluit naar De Bok te gaan om Dolly daar toch onder te brengen.

Als Toon de volgende morgen op De Bok wakker wordt loopt Dolly daar vredig te grazen. Voor het gezag van Trui moest Tinus zwichten. Toon stuurt Ilse een briefje dat Dolly toch een plaatsje gekregen heeft op De Bok en prompt krijgt hij een briefje terug dat zij de merrie af en toe zal komen bezoeken.

Als Ilse na enkele dagen al komt kijken hoe Dolly het maakt, heeft Toon al vlug in de gaten dat zij minstens een tweeledig doel heeft voor haar bezoek. Aan de manier waarop zij naar hem kijkt leidt hij af dat ze niet alleen Dolly wil zien, maar ook hem of wellicht vooral hem. Het streelt zijn ijdelheid dat zo'n mooi meisje bewondering voor hem heeft, maar het stelt hem ook voor een probleem. Hij vindt haar lief en haar kussen en aanraking winden hem op, maar hij zal haar nooit vragen zijn meisje te worden. Het is hem een raadsel waarom zij nog geen andere en meer bij haar passende jongen gevonden heeft, want ze heeft alles wat haar aantrekkelijk maakt: ze is jong, knap en rijk. Maar zolang dat nog niet het geval is, is zij een aangenaam gezelschap om mee te gaan paardrijden. De paarden van De Bok moeten in beweging blijven en zo maakt hij van de nood een deugd.

Op een dag komt Ilse samen met haar tante Corine Dourcelle, de zuster van haar moeder. Zij heeft hem al eens iets over die tante verteld. Ze was midden twintig en stond op trouwen toen haar geliefde overleed aan een longontsteking. Ze heeft daar een poos om getreurd, maar na verloop van tijd het leven toch weer zo goed en zo kwaad als dat ging opgepakt. Om haar zinnen te verzetten logeert ze de laatste jaren vaak op De Eikenhorst en daar krijgt ze volop de gelegenheid om paard te rijden. Ze is er dol op en trekt veel met haar nichtje Ilse op. Zo raken zij op die bewuste dag verzeild op De Bok en ontmoeten daar Toon. 'Dit is mijn tante Corine Dourcelle over wie ik je al eens iets verteld heb, Toon,' stelt Ilse haar tante voor. 'Vind je het leuk samen met ons vandaag een ritje te maken?'

'Het zal mij een eer zijn,' reageert Toon hoffelijk, want die tante ziet er al even charmant uit als Ilse. Ze is wel ouder, maar erg knap en spreekt met een zwaar accent gebrekkig Nederlands. Ze maken kennis en Ilse stelt voor een ritje langs het meer te maken.

'Misschien is oom Thomas thuis en kunnen we een kopje thee bij hem gaan drinken,' suggereert ze en dat lijkt Toon een goed idee, want sedert hij studeert is hij nog maar één keer bij zijn grote vriend geweest.

'Quelle surprise!' zegt Thomas als hij zijn gasten verwelkomt en hoort dat Ilse haar tante uit Wallonië heeft meegebracht. Hij begroet de beide dames met een handkus en prijst ze om hun schoonheid. Toon moet lachen om de charmeur, want dat is Thomas.

'Monsieur Thomas est artiste peintre et poète,' vertelt Ilse haar tante en die kijkt de schilder en dichter met bewondering aan. *'Et antiquair,'* vult Thomas aan en ook dat laatste valt bij Corine in de smaak. Ze kijkt vol bewondering om zich heen en dan gaat Thomas haar maar voor om de rest van zijn collectie te laten zien. Zo komen zij in het atelier en de werkplaats, waar Corine verrukt is van de schilderijen en het fraaie antiek.

Intussen heeft Ilse thee gezet, zodat zij zich even later in een kring om een mooie antieke tafel kunnen scharen om, onder het genot van een kopje thee, nieuwtjes uit te wisselen. Thomas vertelt nog wat over zijn werk en Corine vertelt iets over haar achtergrond. Ze lardeert haar verhaal met veel Franse woorden, maar dat is voor Thomas geen bezwaar. Hij helpt haar als ze naar een Nederlands woord zoekt en kan geen oog van haar af houden. Het valt Toon op en hij moet er inwendig om lachen. De eeuwige vrijgezel Thomas de Zwaan is kennelijk sterk onder de indruk van de mooie Corine.

'Jullie moeten gauw eens terugkomen,' zegt hij bij het afscheid en daarbij kijkt hij vooral Corine aan.

Aan de laatste woorden van Thomas moet Toon denken als hij die avond in bed ligt. Wie is die Corine eigenlijk? Ze is de zuster van mevrouw Van Dijssel, komt uit België, heeft vlak voor haar trouwen, een aantal jaren geleden, haar verloofde verloren en logeert vaak op De Eikenhorst. Dat is alles wat hij van haar weet.

Nu Thomas kennelijk zo op haar gesteld is en haar uitnodigde nog eens langs te komen, moet hij toch eens aan Ilse vragen wat meer over haar te vertellen. Hoelang is het precies geleden dat zij haar verloofde verloor? Heeft ze inmiddels weer kennis aan een man? Dat laatste moet bijna wel, want zo'n mooie en charmante vrouw blijft toch niet lang alleen.

Ze zal een jaar of vijf zes jonger zijn dan Thomas. Wonderlijk zoals de eeuwige vrijgezel Thomas de Zwaan onder de indruk was van haar. Wonderlijk ook dat Thomas nog nooit aan verkering begonnen is. Hij is niet alleen recht van lijf en leden, maar hij is ook nog kunstenaar en bovendien een knappe en interessante man. Aardig is hij ook en alles bij elkaar is dat toch aantrekkelijk voor een vrouw. Voordat hij inslaapt vraagt hij zich af of Corine zal ingaan op het verzoek van Thomas om gauw nog eens langs te komen.

Dat Corine Dourcelle er geen gras over heeft laten groeien ontdekt Toon als zijn vakantie erop zit en hij afscheid gaat nemen van Thomas voordat hij weer voor een maand naar Utrecht gaat. Maar voordat hij afscheid neemt heeft hij nog een vraag aan de kunstenaar. Hij heeft zijn hospita in Utrecht een cadeautje beloofd en van zijn moeder heeft hij altijd geleerd dat hij zijn beloften moet nakomen. Dat wil hij ook, maar hij heeft erover zitten dubben waarmee hij het goeie mens nou een plezier zou kunnen doen. Uit allerlei huishoudelijke dingen die zijn moeder hem voorstelde, kan hij geen keuze maken en het zint hem ook niet Jet iets alledaags te geven. Toen hij zich voornam nog even bij Thomas langs te gaan voordat hij naar Utrecht zou vertrekken, bedacht hij dat die misschien wel iets aardigs voor haar kon hebben. Een mooie tekening of een schilderijtje van een bloemetje of zo. Behalve grote schilderijen maakt Thomas ook wel kleine schilderstukjes of hij beschildert vaasjes.

'Wat wil je me vragen, Toon?' Thomas is gewend dat zijn jonge vriend altijd vol vragen zit. Dat was al zo toen hij nog een kind was.

'Ik wil jou vragen of jij nog een mooi beschilderd vaasje of een klein schilderijtje kunt missen, Thomas. Als je het hebt, moet je maar zeggen wat het kost.'

'Moet je weer een nieuwe schoonheid met een cadeautje verrassen, Toon?' vraagt Thomas lachend, maar Toon schudt zijn hoofd.

'Geen schoonheid, maar wel een lieve vrouw: mijn hospita. Ik heb haar een cadeautje beloofd als ik terugkom.'

'Die verdient wel een mooi cadeautje, Toon, want ook neef Coen was destijds al zo gek op haar. Kom maar even mee naar mijn atelier. Er staan beschilderde vaasjes en kleine schilderijtjes. Je mag er eentje uitzoeken.'

De keuze is door Toon vlug gemaakt. Het wordt een mooi beschilderd bloemenvaasje, maar als hij vraagt wat het kost schudt Thomas zijn hoofd. 'Voor jou niks,' beslist hij, maar dat is niet de bedoeling van Toon.

'Ik wil er de normale prijs voor betalen, Thomas, want anders is het geen echt cadeautje.'

'Goed, je hebt gelijk.' Thomas noemt een bedrag en Toon betaalt, maar hij weet niet dat het bedragje dat hij betaald heeft maar een fractie is van de echte waarde van het kunststukje. Thomas maakt hem niet wijzer dan hij is en spreekt de hoop uit dat Jet Haarsma er blij mee zal zijn.

'Heb je nog iets van Ilse of haar tante gehoord, Thomas?' wil Toon nog weten en dan knikt Thomas en er komt een blijde glans in zijn ogen.

'Ja ja, ze is hier weer geweest.'

'Ilse?'

'Nee, haar tante Corine. Een paar dagen geleden stopte er een koetsje voor de deur en daar kwam Corine uit. Voordat zij terugging naar Namen wilde ze nog even langskomen.'
'Dat had je toch gevraagd?'
'Ja, maar ik had er niet op gerekend dat ze het ook echt zou doen, maar gelukkig deed ze het wel.' Thomas straalt en dat is voor Toon een teken dat er iets moois opbloeit tussen die twee.
'Vind je haar leuk?'
'Ze is de charmantste vrouw die ik ooit ontmoet heb, Toon. En weet je wat zo aardig is?'
'Nou?'
'Ze heeft me uitgenodigd voor een tegenbezoek aan Namen.'
'Ga je op die uitnodiging in?'
'Wat dacht jij? Natuurlijk doe ik dat en ik denk erover om al de volgende week te gaan.'
'Je hebt je laten strikken door de charmes van Corine, Thomas,' lacht Toon. 'Ik heb jou altijd beschouwd als een verstokte vrijgezel, maar nu ga je voor de bijl, man.'
'Ik kan er niks aan doen, Toon. Ze is zó mooi en zó lief dat ik mijn vrijgezellenleven graag voor haar opgeef.'
'Denk je dat ze om je geeft?'
'Ik weet het wel zeker, Toon.'
'Jij bent niet haar eerste liefde, hè? Van Ilse hoorde ik dat haar verloofde enkele jaren geleden vlak voor hun trouwen aan een longontsteking is overleden.'
'Dat klopt. Die man was ook een kunstenaar en daarom voelt ze zich bij mij ook zo thuis.'
'Ik hoop dat het iets wordt tussen jullie; als je haar weer ontmoet vergeet dan niet haar mijn groeten over te brengen.'
'Ik zal het niet vergeten, Toon. Als wij ooit trouwen, wat ik vurig hoop, dan vraag ik jou als getuige op te treden.'
'Dat zal ik maar al te graag doen, Thomas. Goede reis naar Namen, bedankt voor het mooie vaasje en tot ziens.' Toon

neemt hartelijk afscheid van zijn vriend, die hij het geluk van harte gunt.

Als hij enkele maanden later weer eens bij Thomas langs-gaat hoort hij dat die nog steeds contact heeft met Corine en dat doet hem deugd. Hij vertelt hem dan ook dat zijn hospita erg verrast was door het prachtige vaasje. Ze vond het helemaal schitterend toen ze hoorde dat een neef van Coen Hoveling het beschilderd heeft.

Met zijn studie gaat het erg goed. Hij heeft inmiddels zijn propedeuse achter de rug en is bezig aan de lange voorbe-reiding van het kandidaatsexamen. Tussendoor gaat hij elke maand trouw een weekeinde naar huis, maar zijn aan-staande bezoek vindt al eerder plaats, want hij wil de ver-jaardag van zijn zusje niet missen.

'Ik ben blij dat je er weer bent, jongen, want zo'n maand duurt wel erg lang, hoor!' Moeder Trui zucht ervan. Ze moet er nog steeds aan wennen dat Toon telkens zo lang van huis is.

'Het heeft niet eens een maand geduurd, moe; ik ben eerder gekomen om de verjaardag van Lientje mee te kunnen maken. Het komt tenslotte niet alle dagen voor dat ze acht-tien wordt.'

'Toon! Leuk dat je naar huis gekomen bent en dat je eraan gedacht hebt dat ik morgen jarig ben,' begroet Lientje haar broer enthousiast.

'Natuurlijk heb ik aan jou gedacht; hoe zou ik zo'n mooie bloem van achttien lentes nou kunnen vergeten?'

'Doe niet zo mal, joh!' Lientje krijgt er een kleur van en dan ziet Toon dat zijn vergelijking met een mooie bloem zo gek nog niet is. Ze is knap en gaat meer en meer op moeder lij-ken, maar er is wel een verschil waardoor ze wat moeilijk contacten legt met haar leeftijdgenoten. Zij heeft namelijk nog steeds last van dat vermaledijde hakkelen. Haar stief-broer Hein pest haar allang niet meer, integendeel, hij is in stilte verliefd op haar. Het is ook hem niet ontgaan dat zijn stiefzusje een heel mooi meisje geworden is. Lien is wel blij dat Hein haar niet meer pest, maar als ze in de gaten krijgt dat haar stiefbroer haar af en toe met een verliefde blik in zijn ogen aankijkt, is ze daar niet blij mee. Nee, Lientje Koetsier heeft haar zinnen gezet op Gerard Teulings, haar oud-klasgenoot en zoon van de ondermeester.

Graag had ze Gerard op haar verjaardag uitgenodigd, maar dat gaat niet.

Maar ondanks de afwezigheid van Gerard wordt het een leuke verjaardag, alleen vindt Lien het niet zo fijn als er zwaarwichtige onderwerpen besproken worden. Een van die onderwerpen is de boerenoorlog in Transvaal in Zuid-Afrika. Het is overigens niet zo verwonderlijk dat hierover gesproken wordt, want de capitulatie van de Transvaalse boeren, enkele dagen eerder, is overal in het dorp het gesprek van de dag. De boeren uit de streek voelen zich – evenals de meeste boeren in Nederland – verwant aan de boeren in Transvaal. Schande wordt er gesproken van de misdadige activiteiten van de Britse commandant Lord Kitchener die aan de capitulatie voorafgingen. Hij bediende zich van de tactiek van de verschroeide aarde, wat inhoudt dat hij uit was op de totale vernietiging van de boerenbevolking aldaar. Het vee werd gedood, oogsten werden vernietigd en boerderijen werden platgebrand. De boeren werden afgemaakt en hun vrouwen en kinderen werden geïnterneerd in concentratiekampen, waar duizenden stierven aan tyfus en ondervoeding.

Lien is niet gelukkig met het onderwerp, maar het is niet anders. De mensen zijn er zó vol van, dat bijna over niets anders gesproken kan worden.

Trui heeft in de gaten dat de jarige het opgewonden gepraat over die verschrikkelijke toestand in Transvaal erg naar vindt, maar zij kan daar niets aan doen. Wel let zij op het gezicht van Hein en ze maakt zich zorgen. Ze weet dat Hein verliefd is op zijn stiefzusje, maar dat die liefde niet beant-

woord wordt. Ze weet ook dat Gerard Teulings de ware lief-de voor Lientje is, maar dat zijn vader er streng op toeziet dat hij zijn studie voor onderwijzer serieus neemt. Verkering op zijn leeftijd is voor vader Teulings taboe.
Zij heeft begrip voor de houding van de ondermeester en respecteert die. Bezwaar tegen Gerard heeft ze zeker niet. Het is een aardige jongen en als hij zijn diploma van de kweekschool op zak heeft, wordt hij, net als zijn vader, onderwijzer en dat is een respectabel beroep.

Het is begin juni en dus maken boeren erg lange dagen. Als het bezoek van het verjaarsfeestje van Lientje weg is, zit Arie dan ook te gapen. Het is tijd om de bedstee op te zoe-ken, maar als hij samen met Trui overblijft wordt er toch nog even nagepraat.
'Dat gepraat over die boerenoorlog was niet plezierig voor Lientje,' zegt Trui en Arie is het met haar eens. Toch vindt ook hij het logisch dat erover gesproken werd.
'De capitulatie is pas vijf dagen oud en iedereen is er nog zó vol van dat je er niet omheen kunt, ook niet tijdens een feestje.'
'Lientje was wel blij dat Toon overgekomen is uit Utrecht, maar toch miste ze nog iemand.'
'Wie dan?'
'Gerard Teulings natuurlijk.'
'O die. Een aardig knulletje, maar geen cent te makken, Truitje, en bovendien geen boer. Enfin, daar hebben we het al eerder over gehad en ook over Hein en Lien. Als die het eens zouden worden, zou ik dat heel goed vinden. Het geld van onze beide bedrijven zouden we in eigen huis kunnen houden.'
'Nou moet ik toch een beetje om jou lachen, hoor Arie! Sinds wanneer kijk jij alleen naar de centen?'
'Vind je dat zo gek, Trui?'
'Om het uit jouw mond te horen wel, ja. Herinner jij je nog dat je bij Cor Kruining, je ex-schoonvader, op bezoek ging

om hem in te lichten over ons?'
'Ja natuurlijk herinner ik me dat, maar wat bedoel je te zeggen?'
'Jij bracht mij verslag uit van dat bezoek en je zei letterlijk: 'Hij praat alleen over geld en bezittingen'. En verder dat jij door hem en je eigen vader, die toen de grootste boeren van het dorp waren, tegen je zin aan je overleden vrouw gekoppeld werd. Wil je nu zelf gaan koppelen?'
'Nu is het anders dan vroeger, Trui. Het gaat nu om onze eigen kinderen. Ze zijn niet echt familie van elkaar en dus kunnen ze zonder bezwaar met elkaar trouwen.'
'Ook als ze niet van elkaar houden?'
'Je zegt zelf dat Hein verliefd is op Lien.'
'Ja, maar Lientje niet op Hein en dat weet jij ook.'
'Ze zijn nog zo jong en liefde moet groeien; je zou er goed aan doen je er niet mee te bemoeien, Trui.'
'Ik geloof dat bij jou de glaasjes gaan werken, want zo naar heb je nog nooit tegen mij gedaan.' Teleurgesteld in de onredelijke houding van Arie gaat Trui de laatste rommel van het feestje opruimen en mompelt ze 'truste' om naar bed te gaan, maar dan houdt Arie haar tegen.
'Niet boos op me zijn, Truitje, ik heb het zo naar niet bedoeld. Vergeet maar wat ik gezegd heb.' Met een berouwvol gezicht slaat hij zijn armen om haar heen en stelt voor het af te zoenen en dan zet ook Trui haar bokkenpruik af.

HOOFDSTUK 6

Een aantal weken na de verjaardag van Lien komt Toon weer thuis, want de zomervakantie is aangebroken.

'Blijf je hier of ga je weer naar De Bok?' vraagt moeder Trui. Ze wil haar jongen nergens toe dwingen, maar het liefst heeft ze toch dat hij gewoon op de Adehoeve blijft en Toon weet dat.

'De eerste weken blijf ik in ieder geval hier, moe, want ik wil ome Arie helpen bij de hooibouw,' besluit Toon en Trui is dik tevreden met zijn reactie. Ook Arie juicht het besluit van zijn stiefzoon toe, want als het hooi droog is kunnen ze het vlug met twee disselwagens binnen halen. En juli kent dat jaar een aantal droge en warme dagen.

'Als jij samen met Lien een disselwagen neemt, dan neem ik er een samen met Jaap, Toon,' zegt Arie als het zover is en Toon is het daarmee eens. Maar Jaap heeft zijn bedenkingen. Het zint hem niks dat Toon mee het hooiland in gaat en dat laat hij merken door zijn vader te vragen wat dan de taak van Gerrit is.

'Nu Toon ons helpt kan Gerrit het wat rustiger aan doen.' Van jongs af aan heeft Arie een zwak voor de knecht, die inmiddels zesenzestig jaar is en wie het boerenwerk steeds zwaarder valt. Als hij hem een beetje kan sparen zal hij het niet laten, maar Jaap denkt daar kennelijk anders over.

'Tegen zo'n studentje kan Gerrit het nog wel opnemen, hoor!' sneert hij en die opmerking maakt Arie zó kwaad dat hij voor het eerst hard uitvalt tegen zijn zoon. Hij verwijt hem dat hij de sfeer op de hoeve verpest met zijn houding en Jaap schrikt er zowaar van. Een dergelijke toon is hij van zijn vader niet gewend en hij kruipt dan ook in zijn schulp. Wat Jaap niet weet is dat Trui vóór aanvang van de vakantie van Toon haar nood bij zijn vader geklaagd heeft.

'Jaap is er de oorzaak van dat Toon, behalve de zondagen, de hele vakantie op De Bok doorbrengt en dat zint me helemaal niet. Zeg jij er ook eens iets van, Arie.' En Arie heeft geknikt, maar het is er nog niet van gekomen. Een bijna volwassen kerel als Jaap de les lezen vindt hij erg moeilijk, maar nu die zo'n sarcastische opmerking over Toon maakt, is bij hem de maat vol. Toon is een goedwillende jongen en als het nodig is steekt hij ook op de Adehoeve de handen uit de mouwen. Als Jaap het over 'zo'n studentje' heeft dan bedoelt hij te zeggen dat Toon een slapjanus is, maar dat is klinkklare onzin.

'Ik heb ome Arie nog nooit zo horen uitvallen tegen Jaap,' zegt Lien. Ze is er een beetje van geschrokken, maar toch vindt ze het fijn dat hij zo duidelijk partij kiest voor Toon. Ook zij ergerde zich groen en geel aan de opmerking van haar stiefbroer.

'Laat Jaap maar kletsen, Lientje,' lacht Toon. Ook hij vindt het goed dat ome Arie Jaap op z'n nummer gezet heeft, maar verder wil hij er geen woorden aan vuil maken. Als die knaap er lol in heeft rotopmerkingen te maken dan gaat hij z'n gang maar. Hij zal zich er niet meer kwaad om maken. 'Klim jij maar op de wagen dan zal ik het hooi opsteken,' zegt Toon en zo gebeurt het.

Het is warm en ze werken zich beiden in het zweet, maar ondanks het feit dat Toon zich van de opmerking van Jaap niks aantrekt, wil hij toch wel laten zien dat hij niet het slappe studentje is waar zijn stiefbroer hem voor verslijt. Het lijkt wel of Lien het aanvoelt, want ook zij werkt gestaag door, zodat hun voer nog eerder op hoogte is dan dat van ome Arie en Jaap.

Als de ponderboom op het voer vastgesjord is klimt Lien bij haar broer op de bok en terwijl het paard zijn werk doet hebben zij even tijd om uit te blazen en wat te praten, want daar hebben ze sedert Toons komst nog weinig gelegenheid voor gehad.

'Van Hein hebben we minder last dan van Jaap,' zegt Toon en Lien knikt, maar ze kijkt toch bedenkelijk.

'Jij in ieder geval,' reageert ze, maar dat antwoord is Toon niet helemaal duidelijk, temeer niet omdat hij niet weet wat haar dagelijks bezighoudt.

'Heb jij wel last van Hein? Ik dacht dat dat pesten wel over was.'

'Dat is het ook, maar het is nu veel erger.'

'Dat moet je uitleggen.' Toon begrijpt er niks van.

'Hein is verliefd op mij, maar ik niet op hem.'

'O, dat is nieuw voor mij. Die Hein! Hoe haalt hij dat nou in zijn hoofd? Jij bent zijn stiefzusje. Heb jij al iemand waar je iets voor voelt?'

'Ik had het je al eerder willen zeggen, Toon, maar nu je er om vraagt zal ik het je maar eerlijk vertellen. Gerard Teulings en ik zijn smoorverliefd op elkaar.'

'De zoon van de ondermeester,' concludeert Toon met verbazing. Hij kent Gerard oppervlakkig, want die is een paar jaar jonger, maar het lijkt hem een geschikte knul. Hij zegt het ook en Lien knikt heftig.

'Hij is erg aardig, altijd geweest. Weet je dat Gerard mij nooit gepest heeft met mijn hakkelen? Hij zit op de kweekschool en als we trouwen word ik dus de vrouw van een schoolmeester, goed hè?' Ze heeft het met een stralend gezicht gezegd en daaruit leidt Toon af dat ze het stevig van die Gerard te pakken heeft.

'Wat vindt moe ervan?'

'Die houdt zich een beetje op de vlakte. Ik heb de indruk dat zij en ome Arie het er niet over eens zijn. Maar erger vind ik dat meester Teulings zich verzet. Hij vindt Gerard veel te jong voor verkering en denkt dat dat diens studie in gevaar zou kunnen brengen. Moe zou eens naar de meester kunnen gaan, maar ik durf het haar niet te vragen. Kun jij niet eens met haar gaan praten?' Ze kijkt hem met zo'n verwachtingsvol koppie aan, dat Toon een brok in zijn keel krijgt. Zijn kleine zusje is verliefd; aan dat idee moet hij toch een beetje wennen.

'Wat moet ik dan vragen, meissie?'

'Of ze eerst ome Arie over de streep trekt en dan tegen de

ondermeester zeggen dat zij geen bezwaar hebben tegen de verkering.'

'En denk jij dat meester Teulings dan meteen zijn bezwaren zal laten vallen?'

'Dat weet ik niet, maar misschien wel. Ik wil graag dat iedereen ziet hoeveel wij van elkaar houden. Nu moeten we alles stiekem doen. Alleen na de repetitie van het zangkoor hebben we soms de gelegenheid elkaar een zoentje te geven.'

'Nou, goed, ik ga wel met moe praten, maar stel je er niet te veel van voor, want ik betwijfel of moe met de meester wil gaan praten.'

Ze zijn inmiddels met de volle wagen bij de hooiberg aangekomen, maar voor het lossen moeten ze wachten op ome Arie en Jaap. De laatste slaat zijn blik neer als hij bij de hooiberg komt. De onverwacht harde woorden van zijn vader klinken hem kennelijk nog na in de oren en hij ziet nu ook dat zijn opmerking kant noch wal raakte.

Er wordt verder niet meer over gesproken en na binnen theegedronken te hebben, worden de voeren gelost.

De gelegenheid alleen met zijn moeder te praten krijgt Toon enkele dagen later als ome Arie en Jaap naar de markt zijn en Lien in het dorp boodschappen doet.

'Zal ik nog eens inschenken?' vraagt moeder Trui als zij samen met Toon aan de koffie zit.

'Ja, doe maar, moe, en blijf dan nog even zitten want ik wil iets met je bespreken.'

'Met mij? Wat heb je op je lever, jongen?'

'Ik niks, maar Lientje wel. Ze durft er alleen niet met jou over te praten.'

'Waar gaat het dan over?' Trui kijkt haar zoon met verbaasde ogen aan. Toon wil iets met haar bespreken wat Lientje niet durft. Als het maar niks ernstigs is. Daarom kijkt ze haar zoon niet alleen met een verbaasde, maar ook met een bezorgde blik aan en Toon ziet het.

'Maak je geen zorgen, moe, er is eigenlijk niks aan de hand.'
'O, gelukkig; vertel dan maar.' En dan vertelt hij wat hij van zijn zusje gehoord heeft en ook wat zij van haar moeder verlangt.
'Het was voor mij een volslagen verrassing dat Lientje gek is op Gerard Teulings, maar jij weet het kennelijk wel.'
'Ja, ik weet het en ook dat Hein een oogje op je zusje heeft. Het laatste vind ik vervelend, maar het eerste niet. Ken jij Gerard?'
'Oppervlakkig. Het lijkt me een aardige jongen.'
'Dat is hij ook voor zover ik hem ken. Het is bovendien een serieuze jongen, want hij zit op de kweekschool en zal dus later, net als zijn vader, schoolmeester worden.'
'Maar volgens Lientje ligt ome Arie dwars.'
'Dwars is een groot woord. Hij zou liever zien dat Lientje later met een boerenzoon trouwt.' Dat Arie een huwelijk tussen Hein en Lientje wel ziet zitten, vertelt ze Toon niet. Bovendien is dat niet meer aan de orde, want intussen heeft hij er vrede mee dat Lientje met Gerard gaat verkeren. Dat laatste zegt ze ook tegen Toon.
'O, dat zal Lientje wel fijn vinden, maar helemaal gelukkig zal ze zijn als ook de ondermeester overstag gaat.'
'Meester Teulings is niet tegen de omgang van zijn zoon met Lientje, maar voor verkering vindt hij het nog te vroeg. Hij wil niet dat zijn studie daardoor nadelig beïnvloed wordt.'
'Dat vertelde Lientje mij ook, maar zij en Gerard zijn het er niet mee eens. Zij willen openlijk voor hun liefde voor elkaar uit kunnen komen. Dat stiekeme gedoe zijn ze zat. Jij bent toch ook jong geweest, moe.'
'Zeker ben ik jong geweest en ik heb ervan genoten. Je vader en ik kregen ook niet meteen verkering en wij vonden dat stiekeme gedoe, zoals jij het noemt, juist spannend. Ze hebben nog een heel leven voor zich. Waarom zich al zo vroeg binden. Straks bedenkt een van de twee zich nog.'
'Ga je niet met meester Teulings praten?'
'Ik zie nog wel, als ik hem toevallig tegenkom misschien.'

'O, nou ja, goed dan.' De blik waarmee Toon haar aankijkt verraadt enige teleurstelling en Trui heeft dat in de gaten. Ze kent haar jongen en voelt aan dat hij met wat concreter nieuws bij zijn zusje had willen aankomen, maar wat moet ze? Ze is eigenlijk al verder gegaan dan ze wilde. In haar hart kan ze meester Teulings geen ongelijk geven. Achttien is zijn zoon pas en hij zit in het laatste jaar van zijn studie voor onderwijzer. Met alle proefwerken en het examen voor de boeg heeft die jongen al zijn aandacht nodig voor zijn studie. Toch vindt ze het naar voor Toon. Het is een gevoelige jongen en hij is gek op zijn zusje. Een fijn gezinnetje had ze met Han en de twee kinderen, en nog zijn het haar twee oogappels. Elk jaar op Allerzielen gaan ze met hun drieën naar het graf van Han. Daar komt niemand tussen. Als ze bij het graf staan gaan haar gedachten altijd terug naar vroeger. Ook Toon heeft een hang naar het verleden. Dat bleek wel duidelijk toen hij tijdens de vakantie verbleef op De Bok en het had over zijn slaapkamer en het achterhuis waar ze als gelukkig gezinnetje aten. Tot schreiens toe bewogen was ze. Toon is niet alleen gevoelig, hij is ook een goedzak. Hij heeft zich voor het karretje van zijn zusje laten spannen. Een lieve jongen is het. De vrouw die met hem trouwt, zal gelukkig zijn. Kaatje is zo'n meisje dat ook hem gelukkig zou kunnen maken. Ze voelt het en ze ziet het aan het gedrag van beiden, maar helaas zal zij de vrouw van Jaap worden. Jammer! Hij deed er beter aan te vechten voor zijn eigen geluk, maar ze mag en wil hem niet beïnvloeden. Jaap is de zoon van de man die ze liefheeft en hij heeft het recht te trouwen met het meisje dat hij liefheeft, ook al komt de liefde maar van één kant.

'Je hebt zeker met moe gesproken, Toon,' zegt Lientje als ze terug van het dorp komt.
'Ja, hoe weet jij dat?'
'Toen ome Arie en Jaap naar de markt gingen ben ik meteen boodschappen gaan doen, zodat jij alleen met moe achter

zou blijven en dus de gelegenheid zou hebben met haar te praten.'

'Wat ben jij doortrapt, zeg!' Toon moet lachen om het guitige gezichtje van zijn zus. 'Maar je hebt gelijk, ik heb de gelegenheid aangegrepen om met moe te praten.'

'En wat zei ze?' Lientje staat te trappelen van ongeduld om het goede nieuws uit de mond van haar broer te vernemen.

'Niet alles wat jij gevraagd hebt kan ze doen, maar moe is, zoals je zelf al zei, niet tegen jullie omgang. Nieuw is dat ook ome Arie zijn bezwaren heeft laten vallen.'

'O fijn! Gaat ze ook praten met meester Teulings?'

'Ja en nee.'

'Daar begrijp ik niks van.'

'Ik zal het je uitleggen, Lientje. Moe is het met de meester eens dat Gerard zich in alle rust moet kunnen voorbereiden op zijn eindexamen van de kweekschool. Hij mag daarbij niet te veel worden afgeleid door vaste verkering.'

'Dus ze gaat niet met de meester praten,' concludeert Lientje, maar Toon maant haar tot kalmte en legt uit dat ze dat misschien zal doen als ze hem toevallig tegenkomt. Hij beseft zelf dat het een vrij loze belofte is, maar zo heeft moe het gezegd en hij kan er dus niks anders van maken.

'Er is toch niks verloren, Lientje. Je bent nog zo jong, geniet nog een beetje van je jeugd.' Hij praat zijn moeder na, maar Lientje is niet overtuigd. Ze begint weer over het stiekeme gedoe en het ligt Toon dan op de lippen om te vertellen dat moe dat juist spannend vond, maar hij weet niet of hij dat zomaar aan zijn zusje kan vertellen. Hij herhaalt daarom nog maar eens dat ze nog een heel leven voor de boeg heeft, maar Lientje schudt haar hoofd.

'Ik ben jong en ik moet van het leven genieten, maar hier in het dorp is het zo dat je, voordat je het weet, aan een knul gekoppeld wordt waar je niks om geeft. Kijk maar naar Kaatje.'

'Wat is er dan met Kaatje?'

'Dat moet jij nodig vragen. Denk je dat ik blind ben? Ik heb vaak genoeg gemerkt dat Kaatje meer aandacht heeft voor jou dan voor Jaap. Volgens mij houdt ze van jou en dat vind ik zielig. Trouwen met een jongen waar je niet van houdt is verschrikkelijk.'

'Maar Jaap houdt toch van Kaatje.'

'Jaap en Kaatje zijn gekoppeld door de vader van Kaatje. Dat heb ik je al eens verteld nadat Kors van Egmond hier in zijn zondagse pak op bezoek geweest was. Je zult het toch met me eens zijn dat de liefde van twee kanten moet komen.'

'Natuurlijk ben ik dat met je eens, maar zo denkt niet iedereen erover.'

'Hoe sta jij dan tegenover Kaatje?'

'Hoe ik tegenover Kaatje sta?' herhaalt Toon de vraag van zijn zus om tijd te winnen. Haar directe vraag overvalt hem namelijk nogal en hij weet eigenlijk niet wat hij erop moet zeggen. Hij is stapelgek op Kaatje, maar de koppeling waar Lientje op doelt, belet hem nou juist te doen wat zijn hart hem ingeeft en waarmee hij ook Kaatje gelukkig zou kunnen maken. Dat zijn eigen moeder vindt dat hij wat harder voor zijn geluk zou moeten vechten, weet hij niet. Wel weet hij dat zijn moeder van zijn gevoelens en die van Kaatje op de hoogte is, maar Lientje hoeft dat niet te weten. In een boze bui, doordat Jaap weer iets naars zou doen of zeggen, zou ze erover kunnen beginnen en dan heb je de poppen helemaal aan het dansen. Nee, hij moet haar in de waan laten dat er tussen hem en Kaatje niets is.

'Heb jij zelf dan niet in de gaten dat Kaatje gekker op jou is dan op Jaap?' dringt Lientje aan als Toon geen antwoord geeft op haar vraag.

'Och, ik ben altijd aardig voor meisjes en dan doen ze ook aardig terug en dat is met Kaatje niet anders,' verzint hij, maar Lientje haalt haar schouders op ten teken dat hij haar niet overtuigd heeft.

'Wat versta jij eigenlijk onder vakantie?' vraagt Thomas als Toon weer eens komt buurten. 'Je werkt je eerst krom tijdens de hooibouw op de Adehoeve en als je daar klaar bent ga je je nog eens afbeulen op hoeve De Bok.'

'Nou, met dat afbeulen zal het zo'n vaart niet lopen, Thomas. Ik help om beurten Frans met het vee en Tinus met de paarden. Vooral het werken met paarden is erg ontspannend, vooral als ik de beesten in de benen moet houden. Lekker in de vrije natuur op de rug van een mooi paard is echt genieten, hoor!'

'Dat wil ik wel geloven, Toon, zeker als je zo'n charmant gezelschap hebt als Ilse. Of zie je haar niet meer.'

'Nee, ik ben tot de conclusie gekomen dat Ilse en ik toch niet echt bij elkaar passen en ik wil haar niet voor de gek houden.'

'Dat is jammer, want ik had me er al op voorbereid dat jij als echtgenoot van Ilse mij oom Thomas zou moeten noemen. Ja, je kijkt zo ongelovig, maar dan zouden we familie zijn. Voor jou en Ilse zouden mijn vrouw en ik tante Corine en oom Thomas zijn.'

'Ilse noemt jou al oom, maar daar blijft het bij, Thomas. Maar heb je trouwplannen?'

'Corine en ik zijn het eens, dus bereid je er maar op voor dat je binnen afzienbare tijd in de getuigenbank zult moeten plaatsnemen.'

'Dat zal ik graag doen, Thomas. Ga je in Namen wonen of neem je je bruid mee naar hier?'

'Corine woont nu bij haar ouders, maar ze heeft voor zichzelf ook een prachtige villa met alle comfort. We zouden daar uitstekend kunnen wonen, maar ik blijf toch liever hier en Corine vindt ons Zwanennest ook erg romantisch.'

'Daar ben ik blij om, want ik zou je wel erg missen als je zo ver weg zou wonen.'

'Nee hoor, ik blijf hier. Maar het aankomende weekeinde ga ik voor enkele dagen naar Namen. Waarom ga je niet mee?'

'Mee helemaal naar Namen?'

'Ja, Corine zal het zeker leuk vinden jou in haar eigen omgeving te verwelkomen en logeerruimte hebben ze in overvloed.'

'Bedankt voor de uitnodiging, maar ik blijf liever hier. Bovendien is Jaap zondag jarig en dan is het niet aardig er tussenuit te knijpen. Hij zou er opzet in kunnen zien.'

'Ik heb van jou steeds begrepen dat hij je liever ziet gaan dan komen.'

'Klopt wel, maar Jaap zal het deze keer toch anders uitleggen. Doe wel Corine de groeten van me.'

'Hoe is het met Thomas?' vraagt moeder Trui aan Toon als hij terugkomt van zijn bezoek en mee aan tafel schuift voor het avondeten.

'Heel goed,' reageert Toon. 'Hij heeft trouwplannen en hij heeft mij een poosje geleden al gevraagd getuige te zijn bij zijn huwelijk en vandaag herhaalde hij zijn vraag.'

'Dus het gaat er toch van komen,' concludeert Trui. 'Die vrouw waarmee hij gaat trouwen is toch een tante van Ilse?'

'Ja, zij is de jongere zuster van de moeder van Ilse en ze heet Corine Dourcelle. Ze woont in Namen in België.'

'Wat je van ver haalt is lekker,' gniffelt Arie en Toon knikt.

'Dat zeggen ze en deze keer klopt het nog ook, want die Corine is een erg charmante vrouw. Ze woont nu nog bij haar ouders, maar voor zichzelf heeft ze nog de beschikking over een prachtige villa volgens Thomas. De familie zit dus goed in haar slappe was.'

'Charmant en rijk; die Thomas heeft het goed getroffen, maar ik gun hem het geluk van harte, want hij zit al jaren in z'n eentje te koekeloeren in dat bakbeest van 'n huis aan de plas,' lacht Trui.

'Corine vindt dat bakbeest, zoals jij Het Zwanennest noemt, wel erg romantisch en na hun trouwen neemt ze daar ook haar intrek. Nu gaat hij af en toe naar Namen. Het aanstaande weekeinde ook weer. Hij nodigde me uit om mee te gaan.'

126

'O wat leuk helemaal naar Namen!' vindt Lientje. 'Je hebt die uitnodiging toch wel aanvaard?'

'Nee, dat heb ik niet, want zondag is Jaap jarig.'

'Voor mij hoef je niet hier te blijven, hoor!' bromt Jaap en dat klinkt wel erg onaardig. Dat vindt ook Trui.

'Wat een nare reactie, Jaap, ga je schamen, jongen!' Ze kijkt hem streng aan en Jaap slaat zijn ogen neer. Voor zijn stiefmoeder heeft hij meer ontzag dan voor zijn eigen vader.

Ondanks diens nare opmerking enkele dagen eerder feliciteert Toon zijn stiefbroer als een van de eersten op die bewuste zondagmorgen. Ze gaan gezamenlijk naar de kerk en afgesproken is dat ze Kaatje meenemen als ze terug naar huis gaan. Heen zit Jaap bij zijn vader op de bok van de kapwagen, maar als ze Kaatje opgepikt hebben vindt hij dat Toon zijn plaats op de bok maar moet overnemen. Hoewel Toon het jammer vindt heeft hij wel begrip voor de wens van de jarige en klimt bij zijn stiefvader op de bok. Kaatje kijkt hem met een spijtige blik na. Zij geeft de voorkeur aan het gezelschap van Toon, maar ze weet dat haar wens niet ter zake doet en dus houdt ze haar mond.

Thuis is er koffie en voor de gelegenheid heeft Lientje een dag eerder taartjes bij de bakker gehaald, waardoor het koffieuurtje een feestelijk tintje krijgt.

Er wordt nagepraat over de preek van de pastoor. Onder diens aanvoering hebben ze ook gezamenlijk gebeden voor het herstel van de zieke koster Teun Zondervan.

'Wist jij dat Teun ziek is, Jaap?' vraagt Arie en Jaap knikt.

'Ja, maar ook pas sinds gisteravond. Ik hoorde het in de scheerwinkel van Siem van 't Wout. Het schijnt begonnen te zijn met zware hoofdpijn die iets verminderde als Siem zijn handen op het hoofd van Teun legde, maar daarna kwam de pijn weer terug. Dokter De Boog heeft hem toen volledige rust voorgeschreven; hij schijn nu erg achteruit te gaan.'

'Het is te hopen dat Teun beter wordt,' zegt Arie, 'niet alleen voor zijn vrouw en kinderen, maar ook voor meneer pastoor, want Teun is al vele jaren koster.'

'Wat je zegt klopt, Arie; toen ik met Han trouwde was hij het al,' reageert Trui.

'Over trouwen gesproken, ik denk dat ik binnenkort ook eens met meneer pastoor ga praten, want nu ik meerderjarig ben wil ik ook wel vlug trouwen.' Jaap kijkt Kaatje aan, maar die slaat haar ogen neer.

'Je doet net of je geen tijd meer te verliezen hebt,' lacht Arie en Kaatje kijkt haar aanstaande schoonvader met een dankbare blik aan. Zij heeft helemaal geen haast om met Jaap te trouwen, integendeel, elk uitstel juicht zij toe. Het zou anders zijn als Toon haar vroeg, maar die kans is erg klein. Toch merkt zij dat ook Toon haar aardig vindt, misschien wel meer dan dat, want hij kan haar vaak met zo'n zachte blik aankijken. Haar gevoelens voor Toon zitten erg diep. Zij houdt met alle vezels van haar lijf van hem en dat is niet van vandaag of gisteren. Vanaf de schoolbanken is zij al gek op deze zachtaardige jongen.

Tot haar opluchting gaat Jaap niet verder op het onderwerp door en vindt ze zelf afleiding bij de voorbereidingen voor het middagmaal. Terwijl de mannen nog wat roken zorgen de vrouwen ervoor dat het eten op tafel komt.

Het is vervolgens een heel gezelschap dat zich rond de tafel schaart en ze laten zich het vette en zware maal goed smaken. Het toetje bestaat uit een grote schaal dikke pudding. Met trots vertelt Lientje dat zij zelf de bramen geplukt heeft waarvan haar moeder het lekkere sap gemaakt heeft en waarvan ze allemaal een grote lepel vol over hun portie krijgen.

Het is zondag, dus gaan vader Arie en Jaap een extra lang middagdutje doen. Toon hoeft nooit zo vroeg uit de veren en hij heeft er geen behoefte aan.

De vrouwen hebben er waarschijnlijk wel behoefte aan, maar zij moeten de tafel afruimen en de vaat gaan wassen. Gek toch dat boerenvrouwen, die toch vroeg op moeten, nooit een middagdutje doen. Moeder Trui zit na de afwas wel wat te dutten in haar stoel, maar Toon pakt een leerboek en zoekt een plekje buiten op de witgeschilderde bank.

'O, zit je hier, Toon?' zegt Kaatje alsof ze op zoek is naar hem en Toon is aangenaam verrast als hij het meisje waar hij zo dol op is, ziet komen.

'Was je me kwijt?' vraagt hij lachend en door met zijn vlakke hand op de bank te slaan nodigt hij haar stilzwijgend uit naast hem te komen zitten. Dat doet ze meteen.

'Het is hier lekker rustig,' zegt ze en Toon knikt.

'Beter dan in zo'n muffe bedstee,' vindt hij. 'Of had jij ook een uiltje willen knappen?'

'Als ik dat wil dan kan ik dat ook hier op de bank doen.'

'Maar je gaat toch niet zitten maffen naast me!'

'Ik zou niet durven en het niet willen ook.' Ze kijkt hem daarbij zó lief aan dat Toon een sterke aandrang krijgt om haar te kussen, maar dat mag niet.

'Werd je een beetje overvallen door de uitspraak van Jaap dat hij met meneer pastoor wil gaan praten, Kaatje?'

'Ja, hij beslist dat maar in z'n eentje zonder enig overleg.' Ze kijkt hem met een ongelukkige blik in haar ogen aan. 'Gelukkig zei zijn vader dat er geen haast bij is.'

'Jij hebt geen haast, hè?' Als hij haar ongelukkige blik ziet krijgt hij intens medelijden met haar en streelt impulsief zacht haar hand die naast hem op de bank rust. Ze krijgt tranen in haar ogen en vlijt haar hoofd tegen zijn schouder aan.

'Neem me niet kwalijk, Toon, maar ik zoek even wat steun bij jou,' zegt ze zacht snikkend. Dan moet hij zich tot het uiterste beheersen om haar niet in zijn armen te nemen en haar lieve gezichtje te overladen met innige kusjes. Maar hij mag het niet en hij doet het niet, want dan bedriegt hij zijn stiefbroer en dat wil hij niet.

'Ik neem je niks kwalijk, meissie.' Hij drukt even haar hand.

'Je geeft ook om mij, hè Toon?' zegt ze weer en dan kan hij

niks anders doen dan knikken. Ontkennen heeft geen zin.

Op dat moment komt Hein de hoek om en ziet dat Kaatje met haar hoofd tegen de schouder van Toon leunt.

'Jullie kunnen het samen nogal vinden, zie ik,' zegt hij met een afkeurende blik in zijn ogen. Al eerder heeft hij gemerkt dat Kaatje meer belangstelling voor Toon dan voor zijn broer heeft en dat vindt hij maar niks. Toon heeft al zoveel voorrechten en nou zit hij ook nog te flikflooien met het meisje van Jaap. Zelf is hij gek op de zus van Toon, maar die zoekt het kennelijk ook al bij een ander. Hij moet Jaap maar even waarschuwen.

'Je mag Kaatje wel een beetje in de gaten houden, want ze zit buiten op de bank te vrijen met Toon,' zegt hij als hij binnen zijn broer ziet.

'Kaatje vrijen met Toon?' Als door een wesp gestoken springt Jaap op uit zijn stoel en rent naar buiten en als hij de twee naast elkaar op de bank ziet zitten wordt hij razend.

'Jullie hebben zitten vrijen, hè?' brult hij. 'Wilde je daarom zo nodig bij mijn verjaardag blijven in plaats van naar Namen te gaan? Je belazert me, man!' richt hij zich eerst tot Toon. En dan vuurt hij zijn woedeaanvallen af op Kaatje. 'En jij laat je verleiden door de mooie praatjes van die hufter.'

'Toon heeft me niet verleid,' protesteert Kaatje huilend. Ze is zich lam geschrokken van haar woedende vrijer.

'Nee, ga die lummel nog zitten verdedigen ook!' reageert Jaap woest. Het schuim staat hem op de mond van kwaadheid. Als een getergde stier met zijn kop vooruit staat hij tegenover Toon en gooit hem alle dingen waardoor hij gefrustreerd is geraakt, voor de voeten.

Kaatje vlucht naar binnen en zoekt bescherming bij Trui. Ze is helemaal overstuur door de agressie van Jaap.

'Wat is er nou toch aan de hand, meissie?' vraagt Trui verschrikt, maar Kaatje snikt alleen maar en kan niet uit haar woorden komen.

Hein, die eigenlijk de aanstichter is van alle commotie, is ook geschrokken van de redeloze woede van zijn broer en vertelt zijn stiefmoeder wat er is voorgevallen.

'Och hemel, is het al zover?' steunt Trui. Ze spreekt haar gedachten niet uit, maar ze weet dat dit niet kon uitblijven. Al heel lang heeft ze in de gaten dat Kaatje en Toon gek op elkaar zijn en al vaker is ze tot de conclusie gekomen dat die twee qua karakter veel beter bij elkaar passen dan Kaatje en Jaap. Helaas heeft ze die conclusie niet met Arie noch met Jaap kunnen bespreken om de eenvoudige reden dat Jaap een kind van Arie is en dat zij er zich niet mee wil bemoeien. Arie heeft, net als de vader van Kaatje, gezegd: 'mijn zegen heb je' en het is een ongeschreven wet in de boerengemeenschap dat daaraan niet getornd wordt. Maar niemand kan haar beletten er wel met Toon over te praten.

Als Trui die avond even samen is met haar zoon, komt ze terug op de vervelende gebeurtenis van die middag.

'Vertel me nou eens precies wat er gebeurd is, Toon, want Kaatje was erg emotioneel en verslikte zich in haar eigen woorden. Er was voor mij geen touw aan vast te knopen.'

'Ja, Jaap met z'n geschreeuw heeft het kind helemaal overstuur gemaakt, maar laat ik voorop stellen dat ik zijn boosheid goed kan begrijpen.'

'Klopt het dus wel dat jij er aanleiding toe gegeven hebt?'

'Het ging vanzelf, moe. Kaatje kwam bij me op de bank buiten zitten en daar hebben we wat zitten praten. Ook de opmerking van Jaap over zijn wens om met de pastoor te gaan praten over zijn huwelijk met Kaatje, kwam aan de orde. Daar maakte ze zich duidelijk kwaad over.'

'Wat zei ze dan?'

'Dat Jaap dit soort dingen doet zonder enig overleg met haar en dat ze blij was dat ome Arie zei dat er toch geen haast bij is.'

'Zij heeft ook geen haast als je het mij vraagt,' reageert Trui en Toon knikt.

'Klopt! Zij bevestigde dat ook toen ik ernaar vroeg, maar toen raakte ze geëmotioneerd en legde zacht snikkend haar hoofd op mijn schouder.'
'En toen gingen jullie zitten vrijen, tenminste met dat verhaal kwam Hein naar binnen.'
'Helemaal niet! Ik geef toe dat ik de neiging voelde haar te troosten, maar ik heb niets gedaan dat op vrijen lijkt. Ik wil ook niet toegeven aan mijn gevoelens voor Kaatje, want zij is het meisje van Jaap en dat respecteer ik.'
'Het is een nare ontwikkeling, maar ik ben wel blij dat ik nu weet hoe de vork in de steel zit.'

Twee mensen die geen last hebben van jaloerse familieleden zijn Thomas en Corine. Tijdens het lange weekeinde dat Thomas bij zijn aanstaande in Namen heeft doorgebracht, hebben ze samen alles besproken wat met hun huwelijk te maken heeft. Het belangrijkste is hun conclusie dat ze elkaar lang genoeg kennen om de grote stap al op korte termijn te wagen. Daarom ook heeft Corine in afwachting van de trouwerij haar intrek op De Eikenhorst, het buiten van haar zuster en zwager, genomen. Het contact met haar geliefde is daardoor vergemakkelijkt en ze brengt dan ook menig uurtje met hem door op Het Zwanennest.
Daar treft Toon de tortelduifjes aan als hij er weer eens langsgaat.
'Stoor ik?' vraagt hij een beetje geschrokken, want hij is gewend zomaar door te lopen naar de huiskamer.
'Nee, integendeel, je komt als geroepen,' zegt Thomas en ook Corine knikt ten teken dat ze het met haar aanstaande eens is. 'We hebben onze huwelijksdatum op 17 augustus vastgesteld en ik hoop dat je dan nog vakantie hebt om te kunnen getuigen, zoals ik je gevraagd heb.'
'Ja, dat wel, maar trouwen jullie in Namen?' Toon kijkt een beetje bedenkelijk, maar Thomas stelt hem gerust.
'We trouwen hier en het feest is op De Eikenhorst. Ik heb Corine de keuze gelaten en zij kwam met dit voorstel. Zelf

132

heeft ze maar een kleine familie in België, terwijl haar lievelingszuster Thérèse en mijn hele familie in Nederland wonen.'

'En natuurlijk gaan we na onze trouwdag in dit heerlijke Zwanennest wonen, hè Thomas?' Corine krijgt een kleur en ziet er dan erg lief uit. Toon weet inmiddels dat hij tien jaar met haar scheelt, maar ze ziet er jong uit en Thomas is gek op haar. Hij spreekt haar vaak aan met *'mon amour'*, wat zoveel betekent als 'mijn liefje'. Zijn verhalen zijn trouwens geregeld doorspekt met Franse woorden, want Corine heeft nog steeds moeite met het Nederlands, vooral met lange zinnen, waarbij ze de volgorde af en toe uit het oog verliest.

'Jij ook *café* willen?' vraagt ze en dan knikt Toon glimlachend. Hij vindt haar gebroken taaltje wel grappig. Samen drinken ze gezellig koffie, maar die is deze keer heel anders dan Toon gewend is. Hij krijgt een vrij grote kom met daarop een metalen bakje dat wordt afgesloten met een deksel. Als Thomas zijn verbaasde gezicht ziet legt hij hem uit dat dit de Belgische *café filtre* is. In het bakje boven het kopje zit de gemalen koffie, een filter en heet water. Zodra het kopje gevuld is wordt het dekseltje omgekeerd op tafel gelegd en daarop komt het metalen bakje met het zeefje en de koffieprut. Naar smaak wordt melk en suiker toegevoegd en dan heb je een kom heerlijke versgezette koffie.

'Corine zal zich aan vele Nederlandse gewoonten moeten aanpassen en daarom begin ik maar met een Belgisch gebruik,' zegt Thomas. 'We hebben de spullen ervoor uit België meegenomen.'

'Dat lijkt me geen opoffering, want de koffie is heerlijk,' reageert Toon en een dankbare blik van Corine is zijn beloning.

'Heb jij in de komende weken veel omhanden, Toon?' vraagt Thomas en hij legt dan uit waarom hij het vraagt. Corine is heel tevreden met haar nieuwe behuizing, maar er zijn toch wat dingetjes die ze wil veranderen. Werklui hoeft hij er niet voor in te huren, want hij kan het grotendeels zelf regelen, maar voor sommige dingen heeft hij wat hulp nodig.

'Ik heb de gebruikelijke dingen omhanden, maar ik kan zeker tijd vrijmaken om je te helpen, hoor!'

Het gevolg van zijn toezegging is dat hij en Thomas in de volgende weken vaak samen met opgestroopte mouwen in Het Zwanennest en op het terras aan het werk zijn. 'Ik heb het graag voor je over, Thomas, want ik ben veel te blij dat je hier blijft en niet naar België verhuist,' vertrouwt Toon zijn vriend toe en samen verheugen zij zich op het komende feest.

'Wat ben jij bruin!' Ilse van Dijssel slaat haar handen ineen van verbazing als ze Toon verwelkomt op De Eikenhorst. Hij zal getuige zijn bij het huwelijk van Corine en Thomas en daarna de bruiloft mee vieren.

'Dat komt ervan als je je in de vakantie, in plaats van te luieren op twee hoeven, uit de naad werkt,' lacht hij. 'Wat zou je denken van een paar weken in de hooibouw.'

'Daar word je sterk van, hè?' Ze knijpt hem in zijn spierballen en kijkt hem met een bewonderende blik aan. De jongens waarmee zij in aanraking komt, zijn nogal slappe en bleke fatjes. Toon is zo anders. Hij is fors, gespierd en nu ook al zo gezond bruin. Een frisse en lieve jongen. Ze is blij dat ze hem weer eens ziet, want ze heeft hem te lang moeten missen.

Tijdens de trouwplechtigheid kwijt Toon zich met verve van zijn taak als getuige, maar hij is wel onder de indruk van alle deftigheid. Na alle ceremonies die samenhangen met de trouwerij, strijkt er een groot gezelschap neer op De Eikenhorst. Toon heeft nog nooit zoveel deftige mensen met dito gerij bijeen gezien.

'Jij nodigde mij destijds uit om samen met jou als bruiloftsmeisje de trouwerij van je moeder en stiefvader mee te

maken. Mag ik jou nu vragen mijn bruiloftsjonker te zijn?'
Ilse kijkt hem met haar mooie ogen heel lief aan en weer is
hij verbaasd dat deze charmante jonge vrouw nog steeds
geen verloofde heeft, een jongeman die bij haar past.
'Als het van je vader mag.' Toon herinnert zich de arrogan-
te manier waarop haar vader hem eens behandelde.
'Ik heb lak aan mijn vader,' kirt ze, geeft hem een arm en
drukt zich aanhalig tegen hem aan.
Er wordt Frans en Nederlands gesproken en Ilse beantwoordt in rap Frans de vragen die haar in die taal gesteld
worden. Toon spreekt een aardig woordje Frans, maar hij
heeft toch moeite die gesprekken te volgen.
'Comment s'appelle t'il, ton fiancé?' vraagt een oude tante
en hij begrijpt dan dat die vrouw veronderstelt dat hij de
verloofde van haar nichtje is en wil weten hoe die heet. Hij
neemt dan aan dat Ilse haar zal uitleggen dat hij haar verloofde niet is, maar Ilse straalt en zegt: *'Il s'appelle
Antonius et il est étudiant en médecine vétérinaire'.* De
oude tante knikt goedkeurend, want een student in de vee-
artsenijkunde is niet de eerste de beste.
'Dit is tante Odile,' zegt ze als ze hem meesleept naar het
volgende nieuwsgierige familielid. Dat gaat zo nog een tijdje door, maar dan is er champagne en wordt er geklonken
op het geluk van het bruidspaar. Het is een heel beschaafd
feest en na het uitstekend verzorgde diner zijn de gasten
aan wat rust toe.
Op dat moment ziet Toon kans zich even los te maken van
Ilse, want hij heeft onder de gasten Coen Hoveling, de veearts uit Delft en neef van Thomas, ontdekt.
'Ik had je al gezien, maar je was in zo'n charmant gezelschap dat ik je niet wilde storen,' zegt Coen hem hartelijk
de hand drukkend. 'Hoe gaat het met de studie? Ben je al
toe aan je kandidaats?'
'Het gaat prima, maar voor mijn kandidaats heb ik nog een
jaartje te gaan.'
'O, dan ga je nog een moeilijke tijd tegemoet, maar daarna

krijg je te maken met de klinische praktijk en dan wordt het leuker. Uiteraard gaat er niets boven de echte praktijk.'

'Ik heb het voorrecht dat ik thuis en op het bedrijf van mijn moeder met vee en paarden te maken heb. Vooral de paardenfokkerij is boeiend en ik doe er dan ook veel praktijkervaring op.'

'Prachtig, maar…' Coen wordt onderbroken door Ilse, die Toon min of meer bij hem weg trekt met de verontschuldiging dat ze met hem een luchtje wil gaan scheppen. Eenmaal buiten neemt ze hem mee naar het fraaie park dat De Eikenhorst omringt.

Bij zijn eerste bezoek aan deze buitenplaats ontlokte de fraaie natuur al dichterlijke uitspraken aan de man die nu, samen met Corine, het middelpunt vormt van het feest.

Nu raakt hij ook zelf onder de bekoring van dit prachtige stukje natuur. Hier aan de achterkant is De Eikenhorst voornaam en stijlvol. In heldere kleuren komt het statig uit tegen het donkere geboomte. Een brede vijver met begroeide randen buigt uit het open tuingedeelte in het dichte park, waarvan het einde door de volle begroeiing niet te zien is, noch te vermoeden. Brede eikenkruinen en statige beuken weren eentonigheid in vorm en kleur van het blad. Het park heeft de stilte van het landschap rondom, een stilte die alleen verbroken wordt door het snaterend opvliegen van een koppel eenden uit de vijver.

'Mooi is het hier, hè?' zegt Ilse alsof zij zijn gedachten aanvoelt; ze drukt zacht zijn arm. Toon beaamt het en samen lopen ze een eind het park in. Het is al wat later in de zomer, maar het is prachtig en bijna windstil weer, zodat het buiten goed toeven is.

'Die man waar je mee stond te praten, die neef van oom Thomas, heb jij die al eerder ontmoet, Toon?'

'Ja, dat is Coen Hoveling en hij is veearts in de buurt van Delft. Voordat ik aan de studie voor veearts begon ben ik er met Thomas een keer geweest voor advies.'

'En heeft hij je een goed advies gegeven?'

'Jazeker, en niet alleen voor wat de studie betreft, hij heeft me ook aan een lieve hospita geholpen. Daar moet ik hem straks nog even voor gaan bedanken. Als hij maar niet eerder weggaat. Zullen we maar teruglopen?'

'Nee, hoor! Nu ik je even voor mij alleen heb laat ik je niet meteen weer gaan,' pruilt ze en trekt hem op een bankje. Ze zijn alleen, want de overige gasten blijven dicht bij het huis. Ilse nestelt zich op zijn knie en drukt zich als een aanhalig katje stevig tegen hem aan. De zachte aanraking van haar goedgevormde lichaam in het dunne japonnetje windt hem meer op dan hij zou willen toegeven. Als zij haar volle lippen op de zijne drukt, kan en wil hij niet anders dan haar kus beantwoorden.

'Vind je me lief?' Ze wacht zijn antwoord niet af, maar drukt haar mond weer op de zijne, pakt zijn hand en houdt die tegen haar boezem. De zachte weelde van haar jonge borsten windt hem nog verder op, maar tegelijkertijd vraagt hij zich af waar dat mooie, maar verwende meisje mee bezig is. Hij drukt haar zachtjes van zijn knie en staat op.

'Wat doe je nou?' vraagt ze met een pruilmondje. 'Kom nou nog even bij me zitten; we hebben elkaar zo'n poos niet gezien en ik heb erg naar je verlangd, hoor!'

'We kunnen niet te lang wegblijven, Ilse. Ik ben uitgenodigd door Thomas en Corine.' Toch gaat hij nog even zitten en Ilse schuift dicht tegen hem aan. 'Nou ben je weer lief,' pruilt ze.

Net een verwend kind dat haar zin niet krijgt en net zo lang doorzeurt tot moeder toegeeft, gaat het door hem heen. Ilse is mooi, maar hij moet zich niet laten meeslepen in haar minnespel. Het stuit hem tegen de borst te vrijen met een meisje dat hij lichamelijk wel, maar geestelijk niet aantrekkelijk vindt. Haar melige maniertjes staan hem als nuchtere jongen uit de polder tegen. Bovendien heeft hij in haar manier van doen karaktertrekken ontdekt die doen denken aan die van haar vader.

Kaatje mag dan minder luxueus gekleed gaan en wellicht

een minder rank figuurtje hebben, maar ze is degelijk en ze heeft een erg lief karakter. Maar aan Kaatje mag hij niet denken, want zij is de aanstaande van zijn stiefbroer. Toch kan hij het niet helpen haar te vergelijken met Ilse en die vergelijking valt in het voordeel van Kaatje uit.

'Wat zit je nou te dromen,' zegt Ilse. Ze is teleurgesteld, want ze zat zo fijn met Toon te vrijen, maar nu zit hij al een poosje stokstijf naast haar.

'Ik zit te genieten van de natuur,' reageert Toon een beetje bezijden de waarheid, maar hij kan niet anders. Als hij haar echt zou vertellen waar hij aan dacht, zou ze waarschijnlijk heel verdrietig worden en dat wil hij zeker niet. Ze passen volgens hem niet bij elkaar, maar zij denkt daar kennelijk anders over. 'Laten we maar naar binnen gaan en ons bij de overige gasten voegen,' stelt hij voor en dan haakt Ilse bij hem in en lopen ze terug naar het huis.

Het wordt nog een gezellige avond met toespraakjes van familieleden met telkens een toost op het geluk van het bruidspaar. Corine pinkt af en toe een traantje weg en kijkt haar bruidegom met een verliefde blik aan.

Als de laatste gast gesproken heeft bedankt Thomas mede namens zijn vrouw de sprekers voor hun lovende woorden en de overige gasten voor hun belangstelling. Hij doet het afwisselend in het Nederlands en in het Frans en daar heeft Toon bewondering voor. Thomas voelt zich tussen zijn eigen en aangetrouwde familie kennelijk als een vis in het water. Bij Toon ligt dat wat anders. Hij vraagt zich af of hij nou wel thuishoort in dit chique gezelschap. Door zijn studie en toekomstige status van veearts waarschijnlijk wel, maar hij moet er erg aan wennen. De feestjes bij hem thuis en in het dorp zijn heel anders en als je hem in zijn hart kijkt, heeft hij die liever.

Het bruidspaar zal de volgende dag op huwelijksreis vertrekken, maar wordt nu alvast uitgeleide gedaan door de achterblijvende feestvierders. Daarna heeft het personeel het druk met het inspannen van de paarden voor de vele koetsjes. Omdat het mooi weer is, is Toon met de tilbury gekomen en hij spant zelf zijn paard voor de wagen om wat tijd te winnen, want het is nogal laat geworden. Van Ilse neemt hij hartlijk afscheid en hij komt er niet onderuit haar te beloven op een van zijn vrije weekeinden nog eens te gaan paardrijden met haar.

HOOFDSTUK 7

'Gezellig dat je er weer bent, Toon.' Jet Haarsma is echt blij dat haar student weer terug is. 'Het duurt wel lang, hoor, zo'n vakantie,' zucht ze. 'Heb je je vrije tijd een beetje zinvol kunnen besteden?'

'Vrije tijd?' lacht Toon. 'Bij ons in het boerenland kennen we geen vrije tijd. Ik heb hard gewerkt, maar me ook goed kunnen ontspannen, hoor! Je moet trouwens de groeten hebben van Coen Hoveling.'

'Heb je die kwajongen gezien?'

'Ja, ik heb die respectabele veearts uit Delft ontmoet tijdens de trouwerij van Thomas, je weet wel, de kunstenaar die het mooie vaasje dat je van me kreeg beschilderd heeft.'

Toon moet lachen om het vinnige wijfje dat een gevestigde en gewaardeerde veearts nog steeds een kwajongen noemt, maar hij weet dat het van haar eerder een koosnaampje dan een scheldnaam is.

'Je vertelde eens dat die kunstenaar, die vriend van jou, een verstokte vrijgezel was. Heeft hij zich door een vrouwtje uit jullie dorp laten strikken?'

'Nee, zijn vrouw komt helemaal uit Namen in België.'

'Daar spreken ze toch Frans.'

'Ja, maar dat is voor Thomas geen bezwaar; bovendien spreekt zijn vrouw wel een mondje Nederlands en dat moet ook wel, want ze gaan gelukkig in de villa van Thomas wonen.'

'Waarom gelukkig?'

'Omdat ik er graag kom en als hij naar België zou verhuizen, dan zou ik dat contact kwijtraken.'

'Ik begrijp wat je bedoelt; net als ik hecht jij aan mensen en daarom ben ik blij dat je weer terug bent en voorlopig weer een maand blijft.'

'Drie weken, Jet, want ik wil de verjaardag van mijn moeder niet missen.'

'Dat is een goede reden om te gaan, jongen; vergeet niet een cadeautje voor haar te kopen.'

'Ik zal het niet vergeten.' Toon is geraakt door haar bezorgdheid. Ze is als een moeder voor hem en dat kunnen de meeste studenten van hun hospita niet zeggen. De vervelendste verhalen hoort hij van ze. Nee, hij is best tevreden met zijn Jetje.

'Van harte gefeliciteerd met je verjaardag, moe.' Toon is de avond tevoren thuisgekomen en na ome Arie is hij de eerste die zijn moeder gelukwenst. Ze maken zich op om naar de kerk te gaan, want, jarig of niet, de zondagse plicht moet vervuld worden. Ze gaan naar de vroegmis, want daarna komen ze allemaal op de koffie. Jaap is er met Kaatje en tot verbazing van Toon is ook Gerard Teulings, de vrijer van Lientje, aanwezig. Aan elkaar voorstellen hoeft niet, want in het kleine dorp aan de Adevaart kent iedereen elkaar en zeker als de betrokkene een zoon is van de ondermeester van de dorpsschool.

Lien straalt en ook Gerard kijkt vrolijk, maar er is er een die somber kijkt en dat is Hein.

'Heb je het niet naar je zin, Hein?' vraagt Toon als hij even met zijn stiefbroer alleen is.

'Ik begrijp niet wat Lien in de zoon van die onderpik ziet,' bromt Hein. Toon moet lachen om de betiteling van de ondermeester. Door de schooljeugd werd die bijnaam altijd gebruikt en dat zal nog steeds wel zo zijn. Maar dan herinnert hij zich het gesprek met zijn zus. Hein is verliefd op Lien, maar Lien niet op hem. Lien is helemaal weg van Gerard. Dat heeft ze hem wel laten weten en hij heeft zelfs een lans voor haar gebroken bij zijn moeder. Of dat geholpen heeft weet hij niet, maar Gerard is hier en daar was het Lientje om te doen.

'Heeft moe met de ondermeester gesproken?' vraagt hij even later aan Lien en die knikt.

'Het is gegaan zoals jij me zei; moe ontmoette de meester een week geleden min of meer toevallig op het plein voor

de kerk en toen hebben ze even samen staan praten.'
'Wat hebben ze dan besproken?'
'Precies weet ik het niet, maar die dinsdag daarop ontmoette ik Gerard tijdens de repetitie van het zangkoor en
toen vertelde hij me dolblij dat alles goed zou komen. Zijn
vader had hem toestemming gegeven met mij te gaan verkeren op de uitdrukkelijke voorwaarde dat dat geen enkele
nadelige invloed op zijn studie zou mogen hebben.'
'En kon Gerard hem die toezegging doen?'
'Afgesproken is dat hij me na afloop van de zangrepetitie
naar huis mag brengen en dat we elkaar op zondag ook
mogen ontmoeten. Vandaag is hij hier voor het eerst.'
'Dan valt hij met zijn neus in de boter.'
'Ja, en weet je dat hij zelfs een cadeautje voor moe heeft
meegebracht? Attent, hè? Gerard is een heer en ik ben zó
blij dat we nu openlijk onze liefde voor elkaar kunnen
tonen.' Lientje straalt van geluk en Toon vindt het heel fijn
voor haar.
'Gefeliciteerd, Gerard.' Toon schudt zijn aanstaande zwager
de hand, maar die kijkt hem niet begrijpend aan.
'Ik ben niet jarig, hoor!'
'Dat weet ik, maar ik vind het wel een felicitatie waard dat
jij en mijn lieve zusje het eens geworden zijn.'
'O, bedoel je dat? Wij zijn samen erg gelukkig, Toon, en nog
bedankt voor je bemiddeling.'
'Jij leert voor onderwijzer, hè? Dan weet je vast wel hoe ze
dat in het Frans noemen.'
'*Postillon d'amour* bedoel je zeker?'
'Precies! Ik wens jullie alle geluk.' Toon meent wat hij zegt
en als hij dan Kaatje in de ogen kijkt en haar zachte blik
ziet, zou hij zo'n geluk ook voor haar en zichzelf wensen.
'Ben je al bij de ouders van Gerard op bezoek geweest,
Lientje?' vraagt hij zijn zusje en dan knikt ze, maar kijkt een
beetje verlegen.
'Ja, vorige week ben ik er geweest, maar het was wel eng,
hoor!'

142

'Waarom eng?' Toon kijkt haar niet begrijpend aan.
'Het is de ondermeester en bij hem voel ik me weer het kind uit de vierde klas. Daarom zei ik 'dag meester' toen ik hem een hand gaf en daar moest hij een beetje om lachen en zei: 'Zeg voorlopig maar meneer Teulings tegen me en als het allemaal blijft kloppen tussen jou en Gerard dan kun je me later 'vader' noemen en als je dan 'vvvv…ader' zegt, vind ik dat helemaal niet erg'; lief, hè om dat te zeggen.'
'De ondermeester heeft altijd rekening gehouden met jouw gehakkel en je vaak zodanig op je gemak gesteld, dat je het hakkelen eenvoudigweg vergat. Zo was het toch?'
'Ja, dat klopt. Een lieve man is het en ik zal er later ook echt geen moeite mee hebben om hem vader te noemen. Gerard heeft de aard van zijn vader, want dat is ook zo'n lieve jongen.' Dat Lientje het stevig van haar vrijer te pakken heeft, lijdt voor Toon geen twijfel.

Ook de knechten Tinus Groot en Frans Borst komen hun bazin even feliciteren, even later gevolgd door Greetje Bavelaar, de meid van De Bok. Het valt Toon dan weer op hoe verliefd zij en Frans naar elkaar kijken. Zou moe dat nou echt niet in de gaten hebben? Hij moet het haar toch eens vragen, want die twee durven hun liefde nog steeds niet openlijk te tonen omdat ze bang zijn dat Greetje dan weg moet bij De Bok. Alleen Frans slaapt er af en toe als er een koe moet kalven of als hij om een andere reden op de hoeve moet blijven. Greetje slaapt er volgens hem nooit. Enfin, ze zoeken het maar uit, waar zou hij zich ook mee bemoeien.

'Nou missen we Gerrit en Anna nog,' zegt Arie met een zorgelijk gezicht. Gerrit Kooistra is zevenenzestig jaar en werkt al bijna vijftig jaar op de Adehoeve en hij was bijna nooit ziek, maar nu wel. Dat baart vooral Arie, die heel erg gesteld is op de oude knecht, grote zorgen. Zijn vriend en beschermer uit zijn kinderjaren neemt een heel aparte plaats in in zijn hart. Toen hij nog maar amper kon lopen troggelde hij Anna, de vrouw van de knecht, al met succes een babbelaar af. Nu maakt ook zij zich grote zorgen om de gezondheid van haar man. Trui montert haar een beetje op en heeft dokter De Boog laten komen, maar ook die kijkt bedenkelijk. Vanaf dat moment laat Trui haar niet lang alleen met Gerrit, zelfs deze ochtend is ze nog even poolshoogte gaan nemen en ook Arie is even gaan kijken. Hij moest een brok in zijn keel wegslikken toen hij zijn oude vriend ziek en bleek in de bedstee zag liggen.

'We moeten morgen de dokter maar weer laten komen, Trui,' stelt hij voor en Trui is het met hem eens. De ziekte van de knecht legt een domper op deze, anders zo vreugdevolle, dag.

Als Toon de volgende morgen naar Utrecht vertrekt vraagt hij zijn moeder een telegram te sturen als het fataal afloopt, want hij wil deze trouwe en toegewijde man zeker de laatste eer kunnen bewijzen.

'Het lijkt mij het beste meneer pastoor te waarschuwen, mensen,' adviseert dokter De Boog diezelfde morgen.

'Moet Gerrit bediend worden, dokter?' vraagt Anna met een angstig gezicht en als de dokter knikt, barst zij in snikken uit. Trui slaat haar armen om de oude vrouw en drukt haar tegen zich aan. Zelf heeft ze haar man op jonge leeftijd verloren, maar is er verschil? Anna en Gerrit hebben een huwelijk van enkele tientallen jaren achter de rug en ze kunnen elkaar niet missen, evenmin als zij Han destijds kon missen. Maar wat moet ze zeggen om de vrouw te troosten? Haar voorhouden dat alles misschien nog wel goed zal komen, zoals vele mensen onder zulke omstandigheden tegen beter weten in doen, wil zij niet. Als de dokter zegt dat het tijd wordt de pastoor te waarschuwen om Gerrit te bedienen, dan betekent het dat er geen hoop meer is. Anna nu nog hoop geven is vluchten voor de werkelijkheid. Het is jezelf beschermen tegen te grote emoties van de andere,

144

maar dat wil Trui niet.

'Ik zal je helpen bij het klaarzetten van alles wat meneer pastoor nodig heeft, Anna,' zegt ze en de dokter knikt om aan te geven dat hij dat de goede reactie vindt.

'Als u dat doet, vrouw Kootwijk, dan ga ik naar de pastorie om meneer pastoor in te lichten,' zegt hij.

In het kleine dorp aan de Adevaart zijn de taken goed verdeeld. De dokter zorgt voor het lichamelijke en de pastoor voor het geestelijke welzijn van de mensen. Zij houden elkaar op de hoogte als er iemand in levensgevaar verkeert. Met een bezwaard gemoed neemt dokter De Boog afscheid; hij vindt het altijd moeilijk mensen te moeten waarschuwen dat het tijd wordt de patiënt te laten bedienen, want hij weet dat die boodschap gelijk staat aan een onherroepelijke aankondiging van de dood.

Als de dokter weg is loopt Trui eerst even naar huis om Arie te informeren. 'Gerrit moet bediend worden, Arie,' zegt ze en ze schrikt als ze ziet hoe die onheilstijding haar man aangrijpt. Hij gaat aan de keukentafel zitten en steunt zijn hoofd in zijn handen en zijn schouders schokken. Ze gaat naast hem zitten en slaat een arm om hem heen. 'Schrik je daar zo van, liever?'

'Ik was er al zo bang voor, Truitje,' reageert Arie en met een bijna wanhopige blik kijkt hij haar aan. 'Gerrit is mijn grootste en trouwste vriend, schat. Weet je dat ik meer van de man houd dan ik ooit van mijn eigen vader gehouden heb. Ik treurde om de dood van mijn vader, maar als Gerrit er niet meer is zal ik nog bedroefder zijn. Zijn begrafenis moet mooier en stijlvoller zijn dan die van de rijkste boer. Zorg ook goed voor Anna, want ook zij zal het heel zwaar hebben.'

'Ik begin al meteen met haar te helpen bij de voorbereidingen van de bediening, Arie, want daar weet het goeie mens niet mee om te gaan.' Daarop spoedt Trui zich weer naar het arbeidershuisje en gaat aan de slag. Nabij het ziekbed van de oude knecht plaatst zij een tafel en bedekt die met een witte doek. Daarop zet zij een kruisbeeld, een brandende waskaars, wijwater, enige watten en een weinig drinkwater. Een deel van de attributen heeft ze van thuis meegebracht, want Anna beschikte er niet over.

'Als meneer pastoor straks komt staat alles klaar,' zegt ze zacht en Anna knikt berustend.

'Lief dat je me zo helpt, Trui, want zelf heb ik dit gelukkig nog nooit bij de hand gehad.' Tranen stromen over de wangen van de oude vrouw. Meer dan veertig jaar is zij getrouwd met Gerrit en samen hebben ze lief en leed gedeeld. Nu moet ze afscheid van hem nemen. Ze kan het zich nog nauwelijks voorstellen. Gerrit leeft nog, maar voor hoelang? Nog nooit heeft ze meegemaakt dat iemand die bediend is, de dood ontloopt. Ze gaat nog even naar de bedstee en neemt de hand van haar lieve man in de hare, maar Gerrit is te zwak om nog te reageren.

Als pastoor Eerhart komt knikt hij goedkeurend en prijst de vrouwen die alles zo netjes klaargezet hebben. Troostend slaat hij een arm om de schouders van Anna en gaat vervolgens aan de slag. Hij zalft de vijf zintuigen van de zieke met Heilige Olie, terwijl hij bidt: 'Door deze Heilige Zalving en Zijne goedertierendste barmhartigheid vergeve u de Heer al hetgeen gij misdaan hebt door het gezicht, door het gehoor...' en zo noemt hij ook de andere zintuigen.

Als meneer pastoor weggaat wenst hij Anna sterkte en belooft haar tijdens zijn avondgebed voor Gerrit te zullen bidden.

Diezelfde avond komt dokter De Boog nog even langs. Trui en Arie hebben hem zien komen en gaan ook naar het daggeldershuisje om te kijken hoe de situatie is. Er is weinig verandering in de toestand van Gerrit, maar het lijkt de dokter verstandig die nacht bij de zieke te waken.

'Ik zal de eerste drie uren voor mijn rekening nemen,' biedt Arie aan en de vrouwen knikken. Afgesproken wordt dat Trui hem zal aflossen en dat Anna het tegen de ochtend van haar overneemt.

'Ga jij maar in het kleine kamertje slapen, Anna,' zegt Arie zacht als hij die avond als eerste bij de bedstee van Gerrit gaat zitten. 'Als je naast Gerrit gaat liggen doe je toch geen oog dicht. Ik beloof je dat ik je zal wekken als er iets gebeurt en dat zal ik ook aan Trui doorgeven.'

Om wakker te blijven is de lamp in de kamer op een laag pitje blijven branden. De deuren van de bedstee staan open, zodat Arie de zieke knecht in de gaten kan houden. Op tafel staan een kan water en een paar kroezen.

De zieke ligt eerst heel stil, maar op een gegeven moment beweegt hij en hoest benauwd. Als Arie zijn hoofd een beetje optilt om hem wat te laten drinken, mompelt Gerrit een paar woorden. 'Wat zeg je, Gerrit?' vraagt Arie en dan keert de zieke zijn hoofd naar hem toe en fluistert: 'Ben jij het, Arie?'

'Ja ik ben het, Gerrit, wat is er?'

'Ik maak me zorgen om Anna.'

'Dat hoeft niet, Gerrit, ik sta er persoonlijk borg voor dat ze niets tekort zal komen en als ze in het huisje wil blijven kan dat ook.'

'Dank je wel, jongen. Jou vertrouw ik als geen ander.' Met zijn laatste krachten grijpt hij de hand van de baas die nooit een baas geweest is, maar een vriend en zakt terug in zijn kussen. Hij is uitgeput, maar Arie ziet dat er een tevreden trek op zijn gezicht komt. Daar is hij blij om, maar de wetenschap dat dit misschien de laatste woorden van de oude knecht zijn, bezorgt hem koude rillingen. Om zijn emoties te beheersen pakt hij ook een kroes, schenkt die vol water en drinkt hem in één teug leeg.

'Hoe gaat het nou met hem, Arie?' Anna kan ook in het kamertje de slaap niet vatten en haar bezorgdheid drijft haar weer naar de zieke.

'Hij hoestte wat en toen heb ik hem laten drinken.' Over het korte gesprekje dat ze hadden, zegt hij niets. Te weten dat Gerrit zich zorgen om haar maakt, zou haar alleen maar nog verdrietiger maken.

'Zou hij nog koorts hebben, Arie?' vraagt Anna en meteen legt ze haar hand op het voorhoofd van de zieke. 'Hij voelt niet meer zo heet aan als gisteravond,' fluistert zij, maar dat maakt Arie ongerust. Als hij zijn hand op de borst van de knecht legt, voelt hij geen hartslag meer en als hij goed kijkt ziet hij hem ook niet meer ademen. Hij is verlamd van schrik en is blij als op dat moment Trui binnenkomt om hem af te lossen. Ook Trui informeert naar de toestand van Gerrit, maar Arie antwoordt niet. Hij schudt alleen zijn hoofd en zijn ogen worden vochtig. Trui buigt zich dan in de bedstee en ziet meteen dat de knecht overleden is.

'Gerrit is zachtjes ingeslapen, Anna,' zegt ze, haar arm om de oude vrouw heen slaand. Zij leidt haar vervolgens naar een stoel bij de tafel, waar Anna haar hoofd op haar handen laat rusten. Haar schouders schokken.

De snikkende oude vrouw aan de tafel ontroert Arie tot in het diepst van zijn ziel en hij is blij dat hij nog de gelegenheid kreeg de laatste zorg van Gerrit weg te nemen. Er kwam een tevreden trek op het gezicht van de zieke man en het lijkt wel of hij die tevredenheid meegenomen heeft in de dood. Dat maakt zijn verdriet dragelijk.

'We moeten Gerrit afleggen, Anna,' haalt Trui de bedroefde vrouw uit haar verdoving.

'Ja, we moeten Gerrit goed verzorgen, Trui,' zegt ze van haar stoel opstaand. Het lijkt dan wel of hernieuwde energie het vrouwtje vleugels geeft. Ze heeft haar lieve man veertig jaar de best mogelijke zorg gegeven en nu heeft hij die zorg ook nog nodig. In haar linnenkast liggen op de onderste plank haar eigen doodshemd en dat van Gerrit klaar. Ze haalt het en doet, samen met Trui, wat er gedaan moet worden.

Terwijl de vrouwen bezig zijn zet Arie het melkgerei alvast klaar, want het is niet meer de moeite om nog naar bed te gaan. Slapen zou hij toch niet. Na enige tijd wekt hij de anderen en brengt hen op de hoogte van het droevige nieuws. Hoewel die tijding niet onverwacht komt, zijn ze toch aangeslagen.

'Na het melken rijd ik even naar de dokter en de pastoor om hen in te lichten,' zegt Arie.

'Zal ik dan naar het postkantoor in Veendorp rijden om Toon een telegram te sturen?' vraagt Hein, die thuis helpt sedert de ziekte van de oude knecht.

'Ja, doe dat, jongen,' reageert Arie. Hij is blij dat zijn jongste daar meteen aan denkt. Die zegt toe ook de kinderen van Gerrit en Anna te waarschuwen. 'Zeg hen maar dat ik voor de kist, de mis en de begrafenis zal zorgen.' Hein kijkt er wel een beetje vreemd van op, maar hij zegt er niets van. Hij weet hoeveel waardering zijn vader altijd voor hun knecht gehad heeft.

Nadat Arie de pastoor en de dokter gewaarschuwd heeft gaat hij bij Anna verslag uitbrengen. Een dochter van Anna is inmiddels bij haar moeder en belooft tot na de begrafenis bij haar te zullen blijven. 'Ik wil moe niet alleen met pa laten,' zegt ze en Arie kan dat goed begrijpen. Al heb je jaren met iemand geleefd dan toch is het griezelig alleen 's nachts met de dode te blijven.

'Hai legt 'r môj bai,' mompelen familie, buren en bekenden als ze zich om de kist verdringen in de woonkamer van het daggeldershuisje. Een rozenkrans omstrengelt de, op het witte gewaad gevouwen, ruwe handen van Gerrit Kooistra. De kist is gemaakt van donker glanzend hardhout, voorzien van duur koperbeslag. De bezoekers kijken elkaar aan en begrijpen er niets van. Een eenvoudige knecht in zo'n dure kist? Hoe is dat mogelijk? In het kleine vertrek hangt een eigenaardige, weeë geur.

'Heer, geef hem de eeuwige rust, en het eeuwige licht verlichte hem.' Brommend en mompelend wordt gebeden voor de zielenrust van de overledene.

Ook Arie bevindt zich onder de bezoekers, want hij voelt

dat hij er moet zijn. Meer nog dan de familie van de overledene voelt hij zich verwant met zijn grote vriend Gerrit. Hij let op de, door de rozenkrans omstrengelde, handen van zijn knecht. Ruwe handen met kloven en groeven, waarin, ondanks de ijver van de vrouwen, nog minieme restantjes vuil zijn achtergebleven. Handen die een halve eeuw lang bergen werk op de Adehoeve hebben verzet. Handen die het geld voor hemzelf, zijn vrouw en kinderen hebben verdiend. Handen die hem getroost hebben als hij weer eens het doelwit geweest was van spot of oneerlijke behandeling. Handen die kort voor zijn dood werkeloos op de deken rustten en waarvan er één in een laatste krachtsinspanning zijn eigen hand greep om hem te bedanken voor de beloofde zorg voor Anna. Hij heeft hem die toezegging graag gedaan, want dat was wel het minste wat hij aan hem verplicht is.

Twee dagen later is de begrafenis. De kerk is maar voor een kwart gevuld, want Gerrit Kooistra was maar een eenvoudige knecht. Toch zien de dorpelingen tot hun verbazing dat kosten noch moeite gespaard zijn om die eenvoudige knecht een begrafenis te geven die een rijke boer niet zou misstaan. De verhalen over de kist van glanzend hardhout met duur koperbeslag hebben de bewoners van het kleine dorp aan de Adevaart al bereikt, voor zover ze het al niet met eigen ogen aanschouwd hebben.
In zijn preek prijst meneer pastoor de ijver en werklust van de overledene en hij spreekt diens weduwe moed in door te wijzen op de dankbaarheid van de bewoners van de Adehoeve, waar hij bijna een mensenleven lang gewerkt heeft. De dierbare gelovigen knikken dat zij het met de herder van de parochie eens zijn, want met eigen ogen hebben zij de bewijzen van die dankbaarheid gezien. Nooit is een knecht met zoveel eer naar zijn laatste rustplaats gebracht als Gerrit Kooistra.
Na de absoute wordt de kist, begeleid door de klanken van

het orgel, de kerk uit gedragen. Het koor zingt de antifoon: *'In paradisum dedúcant te Angeli: in tuo advéntu susci-piant te Mártyres, et perdúcant te in civitátem Jerúsalem.'* Eerst volgt de familie de kist en daarachter komen de overige kerkgangers. Als ze via het lange grindpad op het kerkhof komen kan Toon niet nalaten een blik te werpen op het graf van zijn vader. Hij was nog maar een kind toen hij zijn vader verloor en z'n vader zelf was amper dertig jaar oud. De overleden knecht was meer dan dubbel zo oud, maar de gang naar het graf is voor de naaste familie en vooral voor Anna zwaar. Zwaar is die gang ook voor ome Arie. Dat ziet hij als ze bij het graf zijn en meneer pastoor nog enkele gevoelige woorden spreekt. Enkele keren pakt hij zijn grote rode zakdoek en snuit omslachtig zijn neus. Toon weet dat hij erg gesteld was op de oude knecht. Een gevoelige man is ome Arie en dat moet moeder aangetrokken hebben in hem. Hij en Lientje hadden het met hun stief-vader slechter kunnen treffen, maar Jaap en Hein ook met hun stiefmoeder. Zij bekommert zich nu speciaal om Anna, die erg bedroefd is. Gelukkig heeft die ook een grote steun aan haar getrouwde dochter.

Die zaterdagavond hebben de klanten in de scheerwinkel van Siem met de handjes weer stof genoeg om over te pra-ten. Gerrit Kooistra was een trouwe klant van Siem en zijn dood wordt alom betreurd.

'Ik heb voor een gewone knecht nog nooit zo'n chique begrafenis meegemaakt,' zegt Siem. 'Waar Anna of haar kin-deren de centen vandaan halen is mij een raadsel.'

'Die hebben er geen cent aan bijgedragen,' weet de slager. 'Het is jullie toch allemaal bekend dat Gerrit nooit een kwaad woord over Arie Kootwijk wilde horen. Omgekeerd behandelde Arie zijn knecht als een vriend, als een lid van het gezin.'

'Wil jij beweren dat Arie alle kosten voor die dure kist en de uitvaart, compleet met rouwmis, heeft betaald?' vraagt

Siem en Piet Vonk knikt.

'Dat beweer ik, ja! Gerrit was als een vader voor hem en zeker vroeger had Arie, die een erg zacht karakter heeft, zo iemand nodig, want zijn eigen vader was hard en streng.'

'Misschien was Gerrit wel de echte vader van Arie,' veronderstelt de rietdekker, maar de anderen kijken hem met een ongelovig gezicht aan en ze vragen hem hoe hij aan die wijsheid komt.

'Ik weet het niet zeker, hoor!' bindt de rietdekker een beetje in, 'maar het zou toch kunnen dat Gerrit een keer een slippertje gemaakt heeft toen Anna geen zin had en de moeder van Arie getroost moest worden.'

'Jij hebt te veel fantasie, Bertus, kijk maar uit dat het Arie niet ter ore komt, want dan zou het dak van de Adehoeve wel eens door een ander gedekt kunnen worden.'

'Ik heb de Adehoeve nog maar enkele jaren geleden van een nieuw dak voorzien en dat was net voordat Arie met Truitje trouwde en je weet dat Truitje nog verre familie van me is.'

'Maar Truitje kiest eerder voor Arie dan voor jou, hoor Bertus!' De slager heeft al diverse keren ervaren dat Trui en Arie gek op elkaar zijn.

'Nou moeten de mensen die klaar zijn vertrekken, want er komen weer nieuwe klanten aan en alle stoelen zijn bezet,' zegt Siem. Hij weet dat zijn scheerwinkel op zaterdagavond een gewild ontmoetingspunt is en dat de klanten blijven hangen als er een zwaarwichtig onderwerp besproken wordt, maar zijn ruimte is beperkt. Als de klant geschoren is moet hij plaatsmaken voor een nieuwe.

Ongeveer dezelfde gedachtegang heeft Jaap Kootwijk als hij diezelfde dag aan het avondmaal zit. 'Wat ga je nou doen met de opengevallen plaats van Gerrit, pa?' vraagt hij.

'De drukste tijd hebben we achter de rug, Jaap, dus voorlopig zullen we het samen wel zien te redden. Als het in het voorjaar drukker wordt moet Hein zijn krachten maar over De Bok en de Adehoeve verdelen.'

152

'Je gaat Gerrit dus niet vervangen,' concludeert Jaap en Arie schudt zijn hoofd en zegt dat hij dat niet nodig vindt.

'Maar waarom heb je Gerrit dan al die tijd aangehouden?'

'Begrijp jij dat niet?'

'Nee, eerlijk gezegd niet; voor hetzelfde geld had je een jonge kerel kunnen inhuren.'

'En Gerrit na bijna vijftig jaren trouwe dienst aan de dijk zetten?' Arie kijkt zijn zoon met een verontwaardigd gezicht aan. Een dergelijk standpunt had ook zijn overleden vrouw kunnen innemen. Het is wel duidelijk dat Jaap het karakter van zijn moeder heeft, maar gelukkig was en is hij de baas op de Adehoeve. Gerrit ontslaan had hij nooit gekund al had de man geen slag werk meer kunnen verzetten.

'Maar nou nog wat,' gaat Jaap verder, 'wat ben je van plan met Anna en het daggeldershuisje?'

'Helemaal niks! Laat Anna maar rustig zitten, het mensje heeft het al moeilijk genoeg.' Over de belofte die hij Gerrit op diens sterfbed deed, spreekt hij niet.

'Maar als je toch geen nieuwe knecht aantrekt kun je het huisje net zo goed laten slopen en op die plaats voor Kaatje en mij een nieuw huis laten bouwen.'

'Laat het mens toch met rust, jongen, we hebben toch geen haast!' Arie zegt het met stemverheffing; hij is gepikeerd door het gedram van zijn zoon.

'Jij hebt geen haast, maar ik wel!' Ook Jaap zegt het op een wat ruzieachtige toon en Trui, die net uit de keuken komt en de laatste uitspraken van Arie en Jaap opvangt, schrikt.

'Heb jij haast om te trouwen, Jaap? Je haast is toch niet… eh…'

'Mijn naam is Jaap Kootwijk, niet Toon Koetsier en ik weet me te gedragen,' reageert hij sarcastisch.

'Wat is dat nou voor een nare opmerking!' Trui is echt in haar wiek geschoten en Arie wordt rood van nijd.

'Donder op met je rotopmerkingen en kom me vanavond niet meer onder ogen!' Arie leunt achterover en sluit voor een moment zijn ogen. Alles wat hem dierbaar is wordt door die jongen met voeten getreden.

De tijd heelt alle wonden, zegt men, en dat is tot op zekere hoogte ook zo. Toch moet Arie er erg aan wennen dat hij zijn trouwe knecht niet meer ziet. Veel tijd om er bij stil te staan heeft hij niet, want na een winter van afwisselend vorst en kwakkelweer maken de kieviten alweer hun dolle buitelingen en klimt de zon elke dag een stukje hogerop. Een periode dus waarin de boer van de vroege ochtend tot de late avond in de weer is.

Het is nu ook de tijd dat Hein zijn krachten moet verdelen tussen De Bok en de Adehoeve, maar hij moppert niet. Hij krijgt voldoende gelegenheid zich bezig te houden met de paardenfokkerij, waaraan hij desnoods zijn schaarse vrije uurtjes opoffert.

Ook de vrouwen op de Adehoeve hebben het druk in dit jaargetijde, maar toch maakt Trui tijd vrij om zich te bekommeren om Anna Kooistra die, na de dood van Gerrit, eenzaam achtergebleven is in haar huisje. Om haar eenzaamheid te doorbreken gaat Anna graag in op het verzoek van Trui wat te komen helpen op de hoeve. Ze hoeft thuis nog maar alleen voor zichzelf te zorgen en daarom is alles elke dag vlug aan kant. Trui gaat ook af en toe een kopje thee bij de oude vrouw drinken en op een van die theevisites ontmoet ze Coba, de dochter van Anna.

Als moeder Anna even naar het huisje buiten is, vertrouwt Coba Trui toe dat ze zich zorgen maakt om haar moeder. 'Ik zou haar het liefst bij mij in huis nemen,' zegt ze. 'Misschien zou u eens met haar kunnen praten.' Trui belooft het, want ook zij vindt dat Anna in het gezinnetje van haar dochter beter op haar plaats is dan alleen in het oude huisje, waar elke dag zoveel herinneringen op haar af komen.

'Toen ik gisteren bij Anna was trof ik daar ook haar dochter Coba. Zij maakt zich zorgen om haar moeder en zou haar het liefst bij haar in huis nemen,' vertelt Trui haar huis-genoten als zij die zondagmorgen aan de koffie zitten.

'Dat is prachtig, want dan kan het huisje afgebroken wor-den en staat er een nieuw huis als Kaatje en ik gaan trou-wen,' haakt Jaap er gretig op in, maar vader Arie maant hem tot kalmte.

'Houd jij nou eens even je mond; ik wil eerst wel eens weten hoe Anna daarover denkt.' Hij wil niets ondernemen tegen de zin van Anna, want dan komt hij in conflict met zijn belofte aan Gerrit.

'Coba heeft gevraagd of ik eens met haar moeder wil praten en dat heb ik nog niet gedaan.'

'Doe dat dan eerst maar, Trui. Als Anna bij haar dochter wil gaan wonen, dan is het tijd genoeg om aan afbraak te den-ken.'

Jaap kijkt bokkig, maar Kaatje lijkt opgelucht. Toon heeft op haar gezicht gelet toen Jaap het woord 'trouwen' in zijn mond nam en zag dat ze schrok. Dat het oude huisje wordt afgebroken en er op die plek een nieuw huis gebouwd wordt, vindt hij prima, maar de consequentie voor Kaatje is naar. Trouwen zullen ze wel een keer, maar hij voelt aan dat zij die dag zo ver mogelijk voor zich uit zou willen schuiven. Toch weet ook zij dat van uitstel geen afstel komt.

Als Trui enkele dagen later vertelt dat Anna besloten heeft bij haar dochter in te trekken lijkt niets de sloop van het huisje meer in de weg te staan. Maar Arie ziet op tegen alle drukte van sloop en bouw in het hoogseizoen, dus worden de werkzaamheden een poosje uitgesteld. Jaap denkt er anders over, maar Arie is de baas.

Het is een maand later als Lien 's morgens misselijk wakker wordt en moet overgeven. 'Ga jij maar weer terug in je bed, want je hebt kennelijk een kou gevat,' zegt moeder Trui. Lien doet wat haar moeder haar adviseert, maar na verloop van een halfuur staat ze weer beneden.

'Het gaat wel weer, hoor!' zegt ze, maar Trui schudt haar hoofd.

'Je doet er verstandiger aan wat in bed te blijven, meissie. Straks vat je er een kou overheen en dan zijn we verder van huis.'

'Maar ik voel me weer goed, moe; ik ga toch niet in bed liggen als er niks aan de hand is.' Het klinkt logisch, maar als dezelfde verschijnselen zich de volgende morgen herhalen wordt Trui achterdochtig.

'En nou ga je meteen naar de dokter,' gebiedt Trui haar dochter als het de morgen daarna weer mis is. Ze maakt zich zorgen, maar ze durft haar vermoeden niet uit te spreken. 'Zal ik met je meegaan?' vraagt ze, maar Lien schudt haar hoofd en vindt het niet nodig. Lien heeft niet het flauwste vermoeden waarom haar moeder zo zorgelijk kijkt.

'Wat kan ik voor je doen?' vraagt dokter De Boog als Lientje die morgen op zijn spreekuur komt.

'Ik ben al drie dagen 's morgens misselijk en moet dan overgeven, dokter, maar daarna voel ik me weer beter. Dat heb ik nog nooit gehad.'

'Ben je getrouwd of heb je nog verkering?' Voor de ervaren arts is het al zo klaar als een klontje wat er met het meisje aan de hand is.

'Ik heb verkering, maar ik denk niet dat de jongen waar ik mee ga, mij aangestoken heeft.'

'Niet aangestoken, maar waarschijnlijk wel iets anders,' glimlacht de dokter. 'Maar laat ik je even onderzoeken dan weten we meer.' Uit haar reactie leidt hij vervolgens af dat het meisje zo groen als gras is.

'Je moet een kindje krijgen, Lientje,' zegt de arts en hij schrikt dan een beetje van de totale onttreddering van het meisje. Ze wordt beurtelings rood en bleek en kan eerst geen woord uitbrengen. De emotie snoert haar de mond en als ze wat later tot haar positieven komt hakkelt ze: 'Een kkk...indje?' De dokter blijft bij zijn diagnose en Lientje verlaat met een gevoel van ontzetting diens spreekkamer. In een roes loopt ze naar huis. De beelden van haar vurige vrijpartijen met Gerard komen haar weer voor de geest, maar ze waren er beiden zo vast van overtuigd dat er niets kon gebeuren. Dat haar maand wat langer wegbleef verontrustte haar vervolgens niet, want dat komt wel vaker voor. Nu is ze in verwachting. De schande! De tranen lopen haar over de wangen als ze ziet dat haar moeder haar op het erf al staat op te wachten.

'En, wat zei de dokter?' Trui kijkt haar dochter met grote angstogen aan en ziet dat die, door emotie overmand, in haar woorden blijft steken.

'Ik kkk...rijg een kkk...indje,' hakkelt ze en dan zakt Trui met de handen voor haar gezicht op de witte bank naast de deur. Ze wist het al, maar nu ze absolute zekerheid heeft, stort haar wereld in. Haar enige dochter heeft nog geen jaar verkering en is nu al zwanger.

'Hoe kon dat nou toch gebeuren?' vraagt ze als ze enigszins van de schrik bekomen is. En dan vertelt Lientje met horten en stoten dat ze onvoorzichtig geweest zijn, maar dat zij er niks aan kon doen. Trui maakt zichzelf dan verwijten dat ze haar kind niet duidelijker heeft voorgelicht, maar die Gerard is al onderwijzer en die moet de risico's toch kennen! Ze zegt het ook.

'Ik dacht dat die Gerard zo'n geleerde bol was. Hij wist toch zeker wel welke risico's jullie liepen; je maakt ons en jezelf te schande, Lien! Heb ik je daarvoor netjes opgevoed?' Het laatste heeft Trui met stemverheffing gezegd en Arie, die in de wagenschuur bezig is, hoort het. Als hij buiten komt en de verhitte gezichten ziet wil hij natuurlijk weten wat er aan de hand is.

'Het is te gek voor woorden, Arie,' steunt Trui, 'ik durf het je nauwelijks te vertellen.'

'Doe het toch maar, Truitje, want ik zie dat jullie beiden nogal van streek zijn.'

'Het is vreselijk! Dat ons dit moet overkomen.' Hierop brengt zij haar man met enkele woorden op de hoogte van het onheil dat hen getroffen heeft. Arie moet een paar keer slikken, maar hij beseft dat je met huilen en elkaar verwijten maken niet ver komt. Er moet gehandeld worden.

'Vlug trouwen is de beste oplossing; een zevenmaandskind-je komt meer voor en dan blijft de schande tenminste beperkt.'

'Maar waar moeten we dan gaan wonen?' piept Lien benauwd. Ze staat te trillen op haar benen, maar kalmeert een beetje nu ze ziet dat ome Arie het bericht nogal kalm opneemt.

'We kunnen niet alle oplossingen meteen bedenken en bovendien staan wij er niet alleen voor,' vindt Arie. 'Frits Teulings zal er ook over moeten nadenken. Gerard is ten-slotte zijn zoon, er moet met hem gesproken worden.'

'Lien is mijn dochter en dus zal ik die taak op me nemen,' beslist Trui en nog diezelfde avond belt zij aan bij het huis van de ondermeester.

'Hoe later op de avond, hoe schoner volk,' lacht Frits Teu-lings als hij de moeder van zijn aanstaande schoondochter begroet. Maar aan het zorgelijke gezicht van Trui ziet hij dat er kennelijk niet veel reden tot lachen is. 'Toch geen narig-heid?' vraagt hij en dan knikt Trui ten teken dat dat wel degelijk het geval is.

'Ik wil even met jou en Thea praten, Frits.'

'Kom binnen dan zal ik Thea roepen.' De vrouw van de meester is boven en komt ook vlug naar beneden om hun gaste te begroeten.

Als Trui vervolgens haar verhaal verteld heeft, zitten beide echtelieden verslagen op hun stoelen. Ze zijn het eens dat vlug trouwen de beste oplossing is. 'Maar niet wij, doch Gerard zelf zal zich als eerste moeten uitspreken. Hij is de aanstichter van alle ellende.' Frits Teulings is woest, maar Trui kalmeert hem een beetje door te stellen dat de schuld van het onheil niet bij Gerard alleen gezocht moet worden. 'Ze hebben er beiden schuld aan, maar wij zullen moeten helpen bij het vinden van een oplossing.'

'Helpen wel, Trui, maar het is het probleem van Gerard en Lientje en vooral Gerard mag zijn verantwoordelijkheid niet uit de weg gaan.'

'Dat zal hij zeker niet doen, Frits, want hij houdt erg veel van Lientje,' zegt moeder Thea, die constant haar ogen moet betten met een zakdoekje.

'Hij moet dat zelf maar bewijzen,' vindt Frits en hij roept zijn zoon, die boven zit te blokken voor zijn hoofdakte.

Gerard is verrast zijn aanstaande schoonmoeder beneden aan te treffen, maar als hij de behuilde ogen van zijn moeder ziet, beseft hij dat er iets naars aan de hand is. Met Lientje? Hij vraagt het gehaast en Trui knikt. Gelukkig voor haar neemt vader Frits het van haar over en licht zijn zoon in en dat gaat op een echte schoolmeester manier. Gerard krimpt ineen van ellende en schaamte als hij hoort welke stommiteit hij uitgehaald heeft. Trouwen wil hij vlug, maar hoe hij aan huisraad en een woning moet komen weet hij niet. Hij is overdonderd door het gebeurde en de harde woorden van zijn vader. Trui verwijt Gerard in gedachten zijn onvoorzichtigheid, maar heeft tegelijkertijd met hem te doen als ze zijn totale ontreddering ziet.

'Laten we afspreken dat we alles even laten bezinken en dan met ons allen over een oplossing nadenken,' besluit ze en de anderen zijn het met haar eens, maar Gerard heeft nog een vraag.

'Wanneer mag ik langskomen om met Lientje te praten, mevrouw Kootwijk? Ik wil haar troosten en zeggen dat we heel gauw gaan trouwen, want dat is het belangrijkste.'

'Op elk moment dat het jou uitkomt, jongen,' antwoordt Trui. Ze is aangenaam getroffen door de woorden van de jongen. Zijn liefde voor haar dochter blijkt er overduidelijk uit en wat is er mooier dan spontane liefde tussen twee jonge mensen? Met al haar ellende van het moment is

Lientje, in vergelijking met de andere kinderen in hun gezin, wellicht nog het beste af.

'Wat woonruimte voor Lientje en Gerard betreft heb ik denkelijk wel een goede oplossing, Trui,' zegt Arie die avond. 'We stellen de sloop van het huisje van Gerrit en Anna voorlopig uit, laten het een beetje opknappen en dan kunnen die twee erin.'
'En het nieuwe huis voor Jaap en Kaatje dan?' Trui ziet de bui al hangen als Jaap van de plannen van zijn vader hoort.
'Lientje zit in nood en Jaap niet; wat het zwaarst is moet het zwaarst wegen, schat.'
Trui is ontroerd door het voorstel van haar man. Hiermee bewijst hij eens te meer dat hij geen onderscheid maakt tussen zijn eigen zoons en zijn stiefkinderen. Als zij die avond naast hem in bed ligt slaat zij haar armen om hem heen en kust hem innig. 'Ik ga nog elke dag meer van jou houden, schat,' zegt ze zacht.

Wat Trui al vreesde gebeurt. Jaap is woest als hij hoort van de restauratieplannen voor het daggeldershuisje. Hij rekende er al op dat er binnen een jaar een nieuw huis voor hem en Kaatje zou verrijzen, maar nu wordt dat oude krot weer opgeknapt ten faveure van Lien en Gerard. Wat heeft hij met die twee te maken? Hij slingert zijn stiefmoeder al zijn grieven naar het hoofd. Ook komt hij terug op de toestemming die Trui Frans Borst en Greetje Bavelaar gegeven heeft na hun trouwen in het woonhuis van hoeve De Bok te gaan wonen.
'Trek die toestemming maar in dan kunnen Lien en Gerard daar gaan wonen,' zegt hij, maar Trui piekert daar niet over en vader Arie valt haar bij.
'Het zou jou beter staan onder deze omstandigheden je grote mond te houden,' bijt hij zijn zoon toe. Arie is een zachtaardige man, maar hij kan er absoluut niet tegen dat iemand naar doet tegen zijn Truitje. Hij verliest zelden zijn

kalmte, maar ze moeten het niet te bont maken.

Doch Jaap laat zich deze keer niet afsnauwen. 'Ik wil trouwen, maar iedereen gaat voor. Eerst dat ouwe mens en nou Lien weer, wat is dat hier voor een toestand!' Hij is woest en blijft dat de hele week.

Als Toon weer een weekeinde thuis is begint hij er nog eens over. Het is wel duidelijk dat hij zich meer zorgen maakt om het uitstel van zijn eigen trouwerij dan om het gedwongen huwelijk van zijn stiefzusje en van dat laatste is Toon juist erg geschrokken. Zijn hakkelende zusje krijgt een kind! Aan dat idee moet hij erg wennen, maar geen woord van verwijt is hem over de lippen gekomen, integendeel, hij heeft Lientje moed ingesproken en hij is blij voor haar en Gerard dat ze allemaal, behalve Jaap dan, met hen meedenken over een oplossing.

Hij kiest geen partij als Jaap weer eens zijn gram spuit. Wel let hij op het gezicht van Kaatje en hij weet zo langzamerhand wel wat er in haar mooie koppie omgaat. Hij is begaan met het lot van het meisje dat hij liefheeft, maar dat voor hem onbereikbaar is en zal blijven.

Terwijl de timmerman en de schilder bezig zijn het daggeldershuisje wat op te knappen, treffen Lien en Gerard voorbereidingen voor hun huwelijk. Ze hebben geluk dat er op de stalzolder van de Adehoeve nog een boel meubeltjes en andere huisraad liggen opgeslagen. Toen destijds de huishoudens van Arie en Trui werden samengevoegd, waren veel spulletjes overbodig, maar te goed om weg te gooien. Nu komen ze prima van pas. Ook de ouders van Gerard dragen hun steentje bij.

Omdat een geheim bij meneer pastoor veilig is, brengen ze hem op de hoogte van de reden waarom zij vlug willen trouwen. Dat zij later wantrouwige dorpelingen zullen vertellen dat Lientje een zevenmaandskindje gebaard heeft, beschouwen zij als een leugentje om bestwil. Maar helaas blijkt algauw dat zij niemand iets op de mouw zullen kunnen spelden, want bij Jaap Kootwijk is hun geheim minder veilig. Hij is zó kwaad op het stel dat zijn eigen trouwplannen dwarsboomt, dat hij zijn mond voorbij praat.

Trui is in alle staten als bekenden haar vragen of het echt een moetje is en ze erachter komt dat Jaap heeft lopen kletsen. Hij krijgt de wind van voren, maar Jaap laat zich niks meer gezeggen. De sfeer op de Adehoeve wordt er niet beter op.

HOOFDSTUK 8

Hoewel hun geheim op straat ligt besluiten Lien en Gerard hun huwelijk toch door te zetten. Dat die vervelende Jaap zijn mond voorbijgepraat heeft, vinden ze naar, maar het is voor hen geen reden hun trouwerij uit te stellen. Gerard wil absoluut niet dat zijn lieve meisje straks nog een poos als ongehuwde moeder door het leven zou moeten gaan.

Als op die bewuste woensdag de vrolijk beierende klokken familie, vrienden en belangstellenden naar de kerk roepen, is vooral Lien erg zenuwachtig. Er is bij haar nog geen spoor van een buikje te zien, maar zij is ervan overtuigd dat alle vrouwenogen daarop gericht zullen zijn. Gerard deelt die overtuiging niet en hij krijgt gelijk. Een paar oude kwebbeltantes bekijken haar bij aankomst wel kritisch, maar de overige belangstellenden reageren vrolijk en positief. Dat laatste zorgt ervoor dat Lien straalt als ze samen met Gerard voor het altaar knielt.

Voor de kinderen van de derde en vierde klas van de dorpsschool is de trouwerij een buitenkansje, want meester Teulings moet zijn klassen die dag in de steek laten. Wel hebben ze het advies gekregen de trouwmis bij te wonen, zodat de gemiddelde leeftijd van het kerkvolk die dag bijzonder laag is.

Arie en Trui hebben samen vier kinderen en uitgerekend de jongste van het stel gaat als eerste trouwen. De omstandigheden waaronder dat gebeurt vinden ze pijnlijk, maar ook zij weten dat het geroddel zal verstommen als de dorpelingen zien hoe gelukkig de twee jonge mensen met elkaar zijn. Hun 'ja ik wil' klinkt dan ook erg overtuigend als meneer pastoor hun de gebruikelijke vraag voorlegt. Als de ringen gezegend en uitgewisseld zijn, pinkt zowel moeder Trui als moeder Thea een traantje weg. Ook, en misschien wel vooral, voor het onderwijzersechtpaar kwam de klap van het moetje van hun zoon hard aan. De man die de kinderen van de dorpelingen moet opvoeden, is zelf danig tekortgeschoten bij de opvoeding van zijn eigen zoon.

Het feest na de trouwmis is bewust sober gehouden, maar Lien en Gerard zijn er niet minder gelukkig door. Gerard draagt zijn zwangere vrouwtje die avond vol goede moed over de drempel van het kleine, maar oh zo knusse, daggeldershuisje. Geholpen door Trui en de ouders van Gerard zijn ze netjes in de spulletjes gezet en ziet het oude huisje er goed en verzorgd uit.

De maanden verstrijken en omdat Lien in het kleine huisje met alleen de zorg voor Gerard en zichzelf niet veel omhanden heeft, is ze vaak op de Adehoeve te vinden. In het begin pakt ze alles aan wat ze vroeger ook deed, maar als er een buikje zichtbaar wordt mag ze van Trui nog alleen licht werk doen.

Als haar buikje verder groeit blijft Lien meer thuis en vindt Trui het gezellig bij haar thee te gaan drinken. Soms ook op zondagmiddag en dan gaat Kaatje mee. Zij en Lien kunnen het uitstekend met elkaar vinden en dat steekt Jaap, want hij ziet in Lien nog steeds de oorzaak van zijn mislukte trouwplannen.

Op een van die zondagen is Toon thuis en na het middageten zegt hij even bij Lientje en Gerard te gaan kijken. Moeder Trui is na de drukte van eten koken en afwassen wat moe en doet een dutje in haar stoel. Arie en Jaap zijn in hun bedsteden gekropen voor een extra lang middagdutje.

'Dan ga ik even met je mee,' zegt Kaatje.

'Ja doe dat,' reageert Toon, 'het is bij Lientje en Gerard vast gezelliger dan hier met mijn slapende moeder en twee snurkende mannen in de bedstee.' Het laatste heeft hij lachend gezegd.

'Ik kom eens kijken hoe het met mijn zwangere zussie gaat,' begroet Toon Lientje. 'En Kaatje is de rustende Adehoeve ook maar even ontvlucht.'

'Ja, ze liggen allemaal te slapen, dus kom ik maar even

mee,' bevestigt Kaatje de uitspraak van Toon.

'Je hoeft je niet te verontschuldigen, want je weet dat je hier altijd welkom bent.' Lientje kijkt altijd uit naar de bezoekjes van haar moeder en vindt het extra leuk als Kaatje meekomt.

Het wordt vervolgens een erg gezellige theevisite, want Gerard is een vrolijke knul die leuk kan vertellen over zijn ervaringen op de school waar hij lesgeeft.

'Vinden jullie niet dat Gerard er erg oud uitziet?' vraagt Lientje op een gegeven moment en dan kijkt zowel Toon als Kaatje haar niet begrijpend aan.

'Ze wil dat ik het verhaal van de kinderen die mijn leeftijd moesten schatten, vertel,' licht Gerard de rare vraag van zijn vrouw toe. 'Ik geef les aan kinderen van acht tot tien jaar oud en die hebben geen benul van leeftijden. De schattingen liepen uiteen van twintig tot zestig jaar en dan sta je met je tweeëntwintig jaren toch raar te kijken.'

'Je bent zo oud als je je voelt, Gerard,' lacht Toon. 'Ik krijg, als ik afgestudeerd ben, met boeren te maken en die zullen mij eerder te jong dan te oud vinden.'

Er wordt nog gezellig doorgepraat over allerlei onderwerpen tot er gestommel in het halletje is en Jaap zijn kwaaie kop om de hoek van de deur steekt. 'Ik dacht wel dat je hier zou zitten,' zegt hij op een snerpende toon. 'Voel je je hier met die student soms beter thuis dan met mij op de Adehoeve?'

'Iedereen sliep, dus ben ik maar even met Toon meegegaan,' verdedigt Kaatje zich zwakjes, maar Jaap is niet voor rede vatbaar.

'Met Toon meegegaan! Met Toon meegegaan! Je hebt niks met Toon mee te gaan, je hoort bij mij op de hoeve.' De naam Toon heeft hij tot drie keer toe met een gezicht vol minachting uitgesproken en dat begint Toon behoorlijk te irriteren.

'Ze is je hondje niet, hoor Jaap!' kan hij niet nalaten te zeggen, maar die opmerking schiet bij de jonge boer in het verkeerde keelgat. Als door een adder gebeten steekt hij zijn kin naar voren en bijt zijn stiefbroer toe dat die zijn gore kop moet houden.

'Houd nou toch op, Jaap!' huilt Kaatje en ook Lien en Gerard manen hem tot kalmte, maar Jaap is door het dolle heen.

'Ik zeg wat ik wil,' briest hij. 'Kom mee!' gebiedt hij zijn meisje en als ze dan niet snel genoeg opstaat, sleurt hij haar uit haar stoel en duwt haar voor zich uit naar de deur. Zover komt hij echter niet, want Toon kookt van woede. Het meisje dat hij boven alles liefheeft, wordt hier als een voetveeg behandeld door die bruut. Hij grijpt hem in zijn nekvel en zou hem een stevige aframmeling gegeven hebben als Gerard er niet tussen gesprongen zou zijn. Die scheidt de twee kemphanen en duwt de lomperik de deur uit. Kaatje is al huilend naar de Adehoeve geheld, waar ze door Trui wordt opgevangen. Als Toon Jaap wil volgen houdt Lientje hem tegen. 'Blijf jij nog maar even hier, want anders raakt Kaatje nog meer van streek; moe en ome Arie zullen ze beiden wel weten te kalmeren.' Toon laat zich door zijn zuster overtuigen, maar hij is danig uit het lood geslagen. Voor de zoveelste keer heeft zijn stiefbroer een vrij weekeinde voor hem verpest.

'Word ik nou ome-opa Arie of heb jij iets anders in je hoofd?' vraagt de machtige boer van de Adehoeve aan zijn stiefdochter.

Lien is bevallen van haar zevenmaandskindje, maar het jongetje, dat ze Bertje noemen, heeft alle trekken van een gezonde en voldragen baby. 'Gewoon opa, natuurlijk,' vindt de kraamvrouw en Trui is het roerend met haar dochter eens.

'Jij opa en ik opoe,' lacht ze. 'Dat is wel even wennen, jongen, maar we hebben er de leeftijd voor.'

'De leeftijd?' Arie kijkt zijn vrouw met gefronste wenkbrauwen aan. 'Vind jij zesenveertig niet een beetje jong voor opoe?'

'Je zal ze de kost moeten geven die op onze leeftijd al opa en opoe zijn, Arie. Mijn eigen grootouders herinner ik mij als stokouwe mensen die nog amper het ene been voor het andere konden krijgen. Onze kleine Bertje krijgt een opa en opoe die met hem kunnen stoeien en wandelen.'

'Niet één, maar twee opa's en opoe's,' corrigeert Gerard de uitspraak van zijn schoonmoeder. 'Mijn ouders zijn dan wel iets ouder, maar bij leven en welzijn zullen ook zij nog lang genoeg met Bertje kunnen ravotten.'

Als de vroedvrouw weg is neemt Trui de taak van baker op zich. Ze heeft het er druk mee, want vooral in de eerste dagen is er veel aanloop van familie en vrienden. Hein, de stiefbroer van Lien, komt samen met zijn meisje Rietje Daalmijer. Met zijn zwager, die hij kortgeleden nog met een jaloerse blik 'de zoon van de onderpik' noemde, kan hij het inmiddels goed vinden. Hij is gelukkig met zijn Rietje en dat is omgekeerd ook zo.

Wie zich niet laat zien is Jaap, maar daar is Kaatje het niet mee eens. 'Ben jij al kindje wezen kijken?' vraagt ze hem als ze enkele dagen na de geboorte van de kleine Bertje op de Adehoeve komt.

'Nee, ik ben er niet geweest,' zegt Jaap met een nors gezicht.

'Laten we dan nu samen even gaan, want ik heb de kleine ook nog niet gezien.'

'Ga jij maar alleen, die Bertje zie ik nog wel eens voordat hij tachtig is.'

'Doe niet zo raar, Jaap. Lien en Gerard zullen het erg onaardig vinden als je geen belangstelling toont.'

'Ze zien me komen na die ruzie van de laatste keer.'

'Dat is meer dan drie maanden geleden; ze zijn echt niet zo haatdragend, hoor!'

'Ik ben er nadien niet meer geweest.'

'Een reden te meer er nu wel heen te gaan. Echt, ze zullen het op prijs stellen.'

'Als jij daarvan overtuigd bent, zal ik het maar doen,' laat de bullebak zich overhalen en achteraf is hij blij dat hij gegaan is, want de reactie van Lien en Gerard was zoals Kaatje voorspelde en dat heeft hij haar ook gezegd.

'Ik wist het toch!' Zij zou eraan toe willen voegen dat hij ook eens wat aardiger tegen Toon zou moeten zijn, maar dat durft ze niet. Hij zou er, en niet helemaal ten onrechte, iets achter kunnen zoeken en dat wil ze niet.

Enkele weken na de geboorte van Bertje Teulings is het wederom feest, maar nu op de Adehoeve, want Toon is geslaagd voor veearts.

Zijn studie aan de Rijksveeartsenijkundige school in Utrecht heeft hij vlug afgerond. Na zijn propedeuse en kandidaatsexamen is hij cum laude geslaagd voor zijn doctoraal examen, waardoor hij officieel medisch veterinair doctorandus werd. Na nog een jaar als co-assistent geconfronteerd te zijn geweest met de klinische praktijk, is hij nu rijp voor de echte praktijk.

In het lage land is veearts een positie van gewicht en Trui is er dan ook trots op dat haar eigen zoon deze status bereikt heeft. Ze gunt hem van harte de eer het middelpunt te mogen zijn van een feestje op de Adehoeve.

Buren, vrienden en bekenden komen hem feliciteren. De ondermeester en zijn vrouw behoren inmiddels tot de familie, maar ook de bovenmeester is present. Hij zag de talenten van Toon al vroeg en haalt met Trui herinneringen op aan zijn bezoek van ruim tien jaar geleden. Hij pleitte toen voor het doorleren van Toon en hij won het pleit, want kleine Toon waagde de grote stap naar de HBS. Een goede voorbereiding voor zijn latere studie aan de Rijksveeartsenijkundige school in Utrecht. Maar het idee voor die laatste studie kwam niet van meester Borghout, maar van Thomas de Zwaan. Ook hij is, samen met zijn vrouw

Corine, present. En de kunstenaar zou geen Thomas heten als hij niet een bijzonder geschenk voor de kersverse vee-arts zou hebben. Natuurlijk is dat geschenk toegesneden op de beroepskeuze van zijn jonge vriend.

'Ik heb de schets voor mijn cadeau gemaakt toen ik met Corine op huwelijksreis in de Zwitserse Alpen was. Jij, Toon, bent geboren onder het sterrenbeeld steenbok, een dier waarvan jij als veearts alle innerlijke en uiterlijke ken-merken kent. Maar ken jij ook de astrologische betekenis van dit fascinerende dier?'

Toon haalt lachend zijn schouders op en zegt dat hij zich graag laat verrassen.

'Welnu, het steenbok-kind is al vroeg ambiteus en trekt op school al de aandacht van de meester. Mijn goede schaak-vriend Hans Borghout zal dat kunnen bevestigen. Maar ook ik heb Toon als kind meegemaakt. Hij was leergierig en gelukkig had en heeft hij, net als zijn helaas te vroeg over-leden vader, ook oog voor de schoonheid van de natuur. Eenmaal volwasssen is de steenbok systematisch en vol-hardend in het bereiken van zijn doel. Gevoelige vrouwen hebben snel door dat in deze rustige, nadenkende man een passionele vulkaan bruist. Toch wachten steenbokken lan-ger dan andere sterrenbeelden met het aangaan van een relatie. Wie echter eenmaal zijn hart heeft veroverd, heeft een vriend die een leven lang trouw blijft.'

Er volgt applaus en Toon klapt van harte mee. 'Heb je dat nou allemaal zelf verzonnen, Thomas?' vraagt hij, maar Thomas schudt zijn hoofd en verzekert hem dat het alle-maal in de sterren geschreven staat en overhandigt hem het ingepakte geschenk. En dan valt Toons mond open van ver-bazing als er een prachtig schilderij in het pak zit. Een levensechte steenbok op de brokkelige rand van een berg-kloof.

'Hang die maar boven je schrijftafel en denk dan af en toe nog eens aan mijn woorden,' besluit Thomas. Hij krijgt ver-volgens niet alleen complimenten voor het prachtige schilderij, maar ook voor zijn speech. Zelfs de mensen die erg sceptisch staan tegenover astrologische wijsheden, moeten toegeven dat sommige passages in de speech van Thomas overeenkomen met de werkelijkheid. Het beeld dat ze van Toon hebben, wordt er zeker niet door geschaad.

Als alle gasten weg zijn praten Trui en Arie nog wat na met Toon. Ze bekijken het schilderij van Thomas nog eens goed en zijn het erover eens dat de kunstenaar zichzelf dit keer overtroffen heeft.

'Jij staat bij hem wel in een goed blaadje dat hij je zo'n kostbaar en toepasselijk schilderij cadeau gedaan heeft, Toon,' zegt Arie. 'Ik heb nog nooit zoveel belangrijke personen tegelijk in huis gehad, maar ik gun je de aandacht van harte, hoor!'

'Daar sluit ik me graag bij aan,' zegt Trui. Ze is trots op haar begaafde zoon en was erg onder de indruk van de speech van Thomas. Leergierig en ambitieus is haar jongen zeker en gelukkig heeft hij de capaciteiten om het tot veearts te brengen, maar wat gaat hij vervolgens met al die ambities en capaciteiten doen? Tot nu toe is zij ervan uitgegaan dat Toon na zijn studie de leiding van haar veehandel en paardenfokkerij zou overnemen, maar is dat nog zo? Ze vraagt het haar zoon en die kijkt bedenkelijk.

'Ik weet het nog niet, moe. Natuurlijk heb je in de veehandel en paardenfokkerij een streepje voor als je zelf veearts bent, maar ik weet niet of ik echt bevrediging kan vinden in dat werk. Ik wil mijn kennis niet alleen benutten in ons eigen bedrijf, maar ook ter beschikking stellen van de boeren in de streek.'

'Maar om een veeartsenpraktijk te kunnen opbouwen moet je toch ergens beginnen, of heb je al plannen in die richting?'

'Studenten die bijna afgestudeerd zijn, krijgen een lijst met veeartsen die een assistent kunnen gebruiken. Op die lijst staat ook veearts Duyvelaer uit Veendorp en daar ben ik enige tijd geleden voor een verkennend gesprek geweest en daar zou ik aan de slag kunnen.'

Trui verbaasd: 'Daar heb je ons niks van gezegd.'

'Dat heb ik niet, omdat ik eerst zelf op onderzoek wilde uitgaan zonder me ergens aan te binden en ook zonder me te laten beïnvloeden.'

'Maar heb je veearts Duyvelaer al iets toegezegd?'

'Nee, dat heb ik niet, want ik wilde alles eerst met jullie bespreken. Jij hebt vele jaren de kosten voor mijn studie betaald en het minste wat ik kan doen is rekening houden met jouw wensen en die van ome Arie.'

'Je moeder heeft die kosten er graag voor over gehad, Toon. Wat mij betreft mag jij zelf een keuze maken en zo denkt je moeder er ook over, nietwaar Trui?'

'Zeker, Arie! Jouw wil is wet, Toon, daar zijn wij het onderling allang over eens.'

'Dan kies ik voor assistent-veearts en ga ik met Johan Duyvelaer in Veendorp praten,' besluit Toon.

'Omdat je terugkomt op ons laatste gesprek neem ik aan dat je belangstelling hebt voor de baan van assistent-veearts,' zegt Johan Duyvelaer en Toon knikt.

'Dat is prachtig, want dan kunnen we spijkers met koppen slaan. Zoals ik je tijdens ons eerste gesprek al vertelde wil ik het wat rustiger aan gaan doen en dus een deel van mijn werk overdragen aan een jonge veearts. Voor mij is het bovendien interessant in de laatste fase van mijn werkzame leven te kunnen samenwerken met iemand die net afgestudeerd is en dus beschikt over kennis van de laatste stand der wetenschap op veterinair gebied. Zelf haalde ik mijn bul in 1864 en hoewel ik mij in de tussenliggende tweeënveertig jaren steeds heb verdiept in nieuwe ontwikkelingen, loop ik toch een stukje achter.'

'Maar de schat aan praktijkervaring die u in al die jaren hebt opgebouwd, is naar mijn mening meer waard dan mijn voorsprong in theoretische kennis,' brengt Toon ertegen in en Duyvelaer klopt hem op de schouder.

'Jij weet hoe je een oude man in zijn waarde moet laten, jongen. Het siert je en het verhoogt je kans van slagen.'

'Is het ook een voordeel dat ik de streektaal spreek en de zeden en gewoonten van de boeren ken?'

'Dat is inderdaad een voordeel, maar het kan ook een nadeel zijn. Vele boeren uit de streek kennen jou, althans van naam, want veehandel en paardenfokkerij Koetsier is alom bekend in de streek. Je zegt zelf dat je de zeden en gewoonten van de boeren in de streek kent. Maar zo kennen ze jou ook; als een van hen, bedoel ik. Ze kennen jou niet als veearts en dat is geen voordeel. Jij kunt van jezelf dan wel denken dat je veearts bent, maar dat zullen de boeren wel uitmaken. Je moet je waarmaken en je plaats verdienen en dat is een harde les.'

'Het is of ik Coen Hoveling hoor praten.'

'Wacht eens even. Je zegt Coen Hoveling, en ik ken een veearts met die naam uit de buurt van Delft.'

'Dat moet dan dezelfde zijn,' zegt Toon verrast. 'Hij is een neef van een goede vriend van mij en voordat ik aan de studie begon heeft hij me er wat over verteld en hij zei me ongeveer hetzelfde als wat u nu zegt.'

'De boeren uit de buurt van Delft zullen niet veel anders zijn dan de boeren uit deze streek. Hij heeft zijn lesje daar kennelijk geleerd.'

'Waar kent u Coen van, dokter?'

'Ik heb hem enkele keren op een congres ontmoet. Een levendige en humoristische kerel, maar ik schat hem toch minstens een jaar of vijftien ouder dan jij.'

'Dat klopt wel zo ongeveer. Hij heeft me het een en ander verteld over de harde les die hij gehad heeft.'

'Je moet door die harde periode heen, Toon, maar als je eenmaal het vertrouwen van de boeren hebt, dan kun je niet meer stuk en daar gaat nou eenmaal een poosje overheen. Durf je het nog aan?'

'Ik ben uw man!' Toon schudt de grijze veearts de hand en

ze worden het diezelfde dag nog eens over de voorwaarden. Voor het eerst van zijn leven gaat Toon Koetsier echt geld verdienen.

Een week later gaat Toon bij de oude veearts aan de slag, maar voordat hij 's morgens de deur uit gaat moet hij nog even naar zijn moeder luisteren.
'Je behoort nu tot de notabelen en als zodanig zul je je moeten gedragen, jongen. Haal die pet eens van je hoofd en zet dit hoofddeksel op.' Waar zijn moeder zo vlug een hoed vandaan haalt begrijpt hij niet, maar als hij zichzelf in de spiegel bekijkt schrikt hij een beetje.
'Ik lijk wel een ouwe man met dat ding op m'n hoofd,' protesteert hij, maar moeder Trui blijft bij haar standpunt dat een veearts niet met een pet op bij de boeren verschijnt.
'Heeft dokter Duyvelaer ook een pet op?'
'Nee, natuurlijk niet.'
'Nou dan! Dag! Houd die hoed maar lekker op.' Glimlachend duwt ze hem de deur uit en dan volgt Toon haar bevel maar op.
In Veendorp wordt hij hartelijk ontvangen door dokter Duyvelaer en hij maakt dan ook kennis met diens echtgenote. 'Behandel haar met zachtheid en kalmte, Toon, want zij neemt de berichten van de boeren aan en ze loopt al zó lang mee, dat ze vaak zelf al de diagnose gesteld heeft.'
'Hij overdrijft, hoor!' Ondanks die opmerking ziet Toon aan de uitdrukking op het gezicht van mevrouw Duyvelaer dat de loftuiting van haar man haar goeddoet.
'Hebt u al iets voor me te doen, dokter?' vraagt Toon en de arts knikt en geeft hem een lijstje met adressen. Een ervan is boer Degenaar uit de Veenderpolder. 'Die heeft mijn hulp ingeroepen voor wat zieke pinken. Het is wel een beetje ouderwetse boer, hoor!' grinnikt hij. Hij weet dat Fried Degenaar een heel eigenwijs mannetje is en daarom vindt hij dat adres een goede vuurdoop voor zijn jonge assistent.

'Heeft uw vrouw al diagnoses gesteld?'
'Nee, ik heb de boodschappen aangenomen; wat er aan de hand is moet je zelf maar uitzoeken.'

Toon begint welgemoed aan zijn ronde en de reacties van de boeren vallen hem nogal mee. Ze zijn eerder benieuwd dan argwanend. Maar bij het adres waarvan dokter Duyvelaer zei dat het een eigenwijs en ouderwets mannetje is, wordt het anders.
'Je hebt zieke pinken hoor ik, Degenaar, zullen we even kijken?' vraagt hij monter en dan komt de tegenwind.
'Wat moet jij met mijn zieke pinken? Ik heb de veearts besteld.'
'Ik ben de veearts; je hebt toch een brief van dokter Duyvelaer ontvangen waarin hij mij als zijn assistent heeft aangekondigd.'
Fried Degenaar neemt Toon van onder tot boven op en schudt zijn hoofd. 'Ik heb geen brief teruggeschreven dat ik het ermee eens ben. Denk je nou echt dat ik jou mijn zieke beesten toevertrouw?'
'In de brief staat toch dat dokter Duyvelaer het wat rustiger aan wil gaan doen. Je neemt dus óf genoegen met mij óf er komt helemaal geen veearts.' Hoewel hij de woorden van de oude veearts in zijn oren geknoopt heeft, wordt hij toch nijdig al bij een van zijn eerste bezoeken als een onmondig kind behandeld te worden. Heeft hij daarvoor nou zes jaar in Utrecht gestudeerd? Hij zegt het ook, maar de boer is niet onder de indruk.
'Diploma's zeggen me niks, jongen. Je moet de praktijk kennen en tussen koeien en paarden zijn opgegroeid. Waar heb jij op school gezeten?'
'Op de Veeartsenijkundige school in Utrecht.'
'Een meneertje uit Utrecht die nog nooit stront aan z'n klompen gehad heeft; ik wacht wel tot Duyvelaer tijd heeft.'
'Zo je wilt Degenaar, maar om misverstanden te voorkomen, ik ben opgegroeid tussen de koeien en paarden van

hoeve De Bok en ik woon al ruim tien jaar bij mijn stiefvader op een grote hoeve in de Adevaartsepolder.

'Hoeve De Bok zeg je? Jij bent toch geen zoon van Han Koetsier?'

'Dat ben ik wel en ik woon al ruim tien jaar op de Adehoeve.'

'Had dat dan meteen gezegd! Je overleden vader heb ik goed gekend en Arie Kootwijk van de Adehoeve ontmoet ik nog geregeld op de markt.'

'Ik heb me voorgesteld als Toon Koetsier.'

'Neem me niet kwalijk, ik heb niet goed opgelet. Laten we maar even bij de pinken gaan kijken. Ze hoesten de laatste tijd nogal en ze zien er ook niet meer zo glanzend uit als in het voorjaar.'

Toon heeft er geen uitgebreid onderzoek voor nodig om te constateren dat de beesten longwormen hebben, waardoor het hoesten verklaard wordt. 'Om herinfectie tegen te gaan is opstallen het allerbeste, Degenaar.'

'Ik zal erover nadenken,' zegt de boer en zwaait ten afscheid als Toon vertrekt. Hij geeft de voorkeur aan Duyvelaer, maar deze jonge kerel heeft toch pit. Een gewone boerenzoon uit het lage land die het tot veearts brengt, dwingt toch respect af. En wat die pinken betreft, heeft Koetsier het wel goed gezien; zelf had hij ook al aan longwormen gedacht. Maar opstallen in deze tijd van het jaar? Als hij dokter Duyvelaer ziet, zal hij 't hem toch ook nog maar even vragen.

'En, hoe is je eerste werkdag als veearts verlopen?' vraagt Trui als Toon terug op de Adehoeve komt. Ook Arie is er benieuwd naar.

'Het is niet echt tegengevallen, maar op één adres heb ik me aanvankelijk groen en geel staan ergeren. Die boer behandelde me als een onmondig kind. Hij heeft zieke pinken en toen ik kwam vroeg hij wat ik kwam doen. 'Ik heb de veearts besteld' zei hij en of ik nou al beweerde dat ik de veearts was, het hielp niet. Een meneertje uit Utrecht die nog nooit stront aan z'n klompen gehad had en nooit tussen de paarden en koeien geleefd had, miste volgens hem elke praktische kennis.'

'Maar heb je hem dan niet uit de droom geholpen?'

'Ja, natuurlijk en toen sloeg hij om als een blad aan de boom. Hij heeft pa gekend en komt ome Arie geregeld op de markt tegen.'

'Hoe heet die boer dan?' wil Arie weten en als hij hoort dat het Fried Degenaar is, slaat hij zich op de knieën van de pret. 'Die ouwe Duyvelaer heeft jou kennelijk bewust naar de moeilijkste klant gestuurd. Ik ken die Fried Degenaar een beetje en het is een heel bijzonder mens. Niet van deze tijd! De man is honderd jaar te laat geboren. Wat is dat een ouderwets mannetje zeg!'

'Het is een beetje 'n ouderwetse man, zei dokter Duyvelaar grinnikend toen hij me naar die boer stuurde.' Toon moet er nu zelf ook om lachen en kan de streek van de oude veearts wel waarderen.

Bij veearts Duyvelaer zijn de kinderen al geruime tijd het huis uit en daardoor is er veel ruimte in het grote huis vrij gekomen.

'Vind je dat dagelijks heen en weer reizen van huis naar hier niet bezwaarlijk?' vraagt dokter Duyvelaer als Toon enkele maanden in zijn nieuwe functie bezig is.

'Ja, eigenlijk wel, maar ik zie geen andere oplossing.'

'Ik wel, jongen. Je ziet zelf dat mijn vrouw en ik meer dan voldoende ruimte in dit grote huis hebben. Wat zou je ervan vinden bij ons in te trekken. Je kunt een slaap- en zitkamer krijgen en we schuiven voor jou graag een bordje bij.'

'Dat is erg vriendelijk aangeboden, dokter.'

'Ik ben wel vriendelijk, maar ik houd ook mijn eigen belang in de gaten, hoor!' lacht de oude arts. 'Het komt een enkele keer voor dat mijn hulp bij nacht en ontij wordt ingeroepen en dan lijkt het mij zo heerlijk me dan in bed op mijn andere zij te draaien en jou het karwei te laten opknappen.'

'Dat heb ik graag voor u over, dokter. In principe ben ik akkoord, maar ik wil er nog even met mijn moeder over praten. Na zes jaar studie in Utrecht is ze juist zo blij dat ik weer thuis ben.'

'Blijf dan van zaterdagmiddag tot maandagochtend thuis.'

'Dat lijkt me een goed idee en daar kan moeder ook geen bezwaar tegen hebben.'

'Gerard is een baan als ondermeester op een school in Veendorp aangeboden. Er is ook een woning beschikbaar en Gerard heeft die kans met beide handen aangegrepen,' vertelt Trui als Toon die avond thuiskomt.

'Dat is fijn voor hem,' vindt Toon, maar moeder Trui kijkt bedenkelijk.

'Het is fijn voor hem, maar minder fijn voor mij. Het betekent dat hij en Lien met de kleine gaan verhuizen en hoe vaak zie ik ze dan nog?'

'Voor Gerard betekent het een promotie en bovendien een betere behuizing, want ze wonen wel knus, maar in de winter is het oude huisje toch moeilijk warm te stoken.'

'Je hebt natuurlijk gelijk, jongen, maar ik zal ze wel erg missen.'

'Het komt ongelukkig uit, moe, maar ook mij zul je doordeweeks moeten missen, want dokter Duyvelaer heeft mij een slaap- en zitkamer in zijn grote huis aangeboden.'

'Nee toch!' Trui slaat de handen voor haar gezicht en moet even bijkomen.

'Van zaterdagmiddag tot maandagochtend ben ik thuis; dat zijn twee van de zeven nachten. Vogels die groot worden vliegen nou eenmaal het nest uit.'

'Ja, ja, jij kunt mooi praten, maar twee van die mededelingen op één dag komen toch wel hard aan, hoor!'

Als Jaap die avond hoort dat Lien en Gerard gaan verhuizen springt hij een gat in de lucht. 'Nu kunnen we dat krot eindelijk afbreken en op die plaats voor Kaatje en mij een nieuw huis bouwen,' zegt hij opgelucht en daar kan nu niemand meer bezwaar tegen maken.

'Zodra Gerard en Lien verhuisd zijn zal ik er werk van maken, Jaap,' belooft vader Arie en Trui is het met hem eens. Kaatje en Jaap hebben de leeftijd om te trouwen en ze hebben bovendien lang genoeg verkering gehad.

De zit- en slaapkamer die Toon in het huis van dokter Duyvelaer betrekt zijn ruim en geriefelijk ingericht. Mevrouw Duyvelaer slooft zich uit om het hem naar de zin te maken. Het dienstmeisje doet het huishoudelijke werk en mevrouw zelf kookt een heerlijke pot. Wat dat betreft doet de vrouw hem denken aan Jet Haarsma, de hospita uit zijn studententijd.

Toch vindt hij het ook fijn in het weekeinde thuis te zijn. Elke keer als hij thuiskomt zijn de sloopwerkzaamheden weer wat verder gevorderd. Van het oude huisje is bijna niets meer over. Aan ome Arie merkt hij dat de sloop van het daggeldershuisje hem toch pijn doet. Af en toe laat hij doorschemeren dat hij vele dierbare herinneringen aan de bewoners van dat oude huisje heeft. Maar tijden veranderen. Gerrit is dood en Anna woont bij haar dochter. Voor Jaap en Kaatje moet een geriefelijke woning worden gebouwd. Dat is een goed plan, daar het ook de toekomstige woning voor moeder Trui en ome Arie zal zijn. Als zij oud zijn zullen Jaap en Kaatje boer en boerin worden op de Adehoeve en er ook gaan wonen. Maar zover is het nog lang niet. Toch is dat het doel van Kors van Egmond, de vader van Kaatje. Daarom heeft hij zijn dochter aan Jaap Kootwijk gekoppeld en zich niet afgevraagd of hij haar daarmee gelukkig dan wel ongelukkig maakt.

Terwijl de bouw van de nieuwe woning in volle gang is zijn Jaap en Kaatje druk in de weer met de voorbereidingen van hun huwelijk.

Het is omstreeks die tijd dat Toon weer eens op bezoek gaat bij zijn grote vriend Thomas de Zwaan. Deze keer niet zomaar een bezoek, maar een wat verlate kraamvisite. Een week eerder is Corine bevallen van een welgeschapen zoon, die ze Frédérique genoemd hebben. Omdat dit voor Nederlandse begrippen een wat ingewikkelde naam is, besluiten ze het ventje Freddie te noemen.

Thomas als trotse vader is nieuw voor Toon. 'Freddie is het mooiste ventje van deze wereld en omstreken,' beweert hij en Toon moet erom lachen.

'Om zulke dingen te zeggen moet je Thomas heten,' lacht hij en Ilse, die ook op bezoek is, lacht met hem mee. De kans Ilse bij Thomas te treffen is natuurlijk altijd aanwezig, maar Toon had er deze keer niet op gerekend. De gebruikelijke kraamvisites zijn immers al achter de rug. Hij ontloopt Ilse niet met opzet, maar zit met de confrontatie toch een beetje in zijn maag. Hij weet dat Ilse om hem geeft, maar helaas voor haar is die liefde niet wederzijds. Hij vindt haar knap en charmant, maar niet het meisje dat hij zoekt. Haar botweg afwijzen heeft hij tot nu toe niet hoeven doen.

'Er wordt bij jullie naast de hoeve nogal ijverig gebouwd, Toon,' zegt Thomas. 'Dat wordt zeker de woning voor Jaap en Kaatje.'

'Dat klopt. Ze zijn op dit moment druk bezig met de voorbereidingen van hun huwelijk en binnenkort zal de trouwdatum wel worden vastgesteld.'

'Heb je al een bruiloftsmeid, Toon?' Thomas kijkt Ilse met een scheef oog aan en vraagt haar glimlachend of Toon haar soms al gevraagd heeft. 'Ja, ik begin de gewoonten van de streek al aardig te kennen, hoor!' pocht hij.

'Nee, Toon denkt niet meer aan mij sinds hij druk is in zijn nieuwe baan.' Ilse zegt het lachend, maar Toon ziet dat haar vrolijkheid gemaakt is. Wat moet hij daar nou weer op antwoorden. Botweg zeggen dat hij geen belangstelling meer voor haar heeft en haar dus ook niet gevraagd heeft samen met hem de bruiloft van Jaap en Kaatje mee te maken, wil hij niet. Hij wil het misschien wel, maar hij durft het niet. Waarom Thomas nou zo'n vraag stelt is hem een raadsel. Aan hem heeft hij toch al lang geleden gezegd dat Ilse geen meisje voor hem is. Kaatje is het meisje waar hij van houdt en uitgerekend op haar trouwdag zou hij haar moeten confronteren met Ilse. Hij heeft er moeite mee, maar wat moet hij doen? En dan neemt Ilse het initiatief weer door te zeggen dat Toon misschien ook bang is dat haar vader weer dwars gaat liggen. 'Maar ik heb lak aan mijn vader, hoor! Als Toon me uitnodigt voor een feestje dan zal ik hem echt vooraf geen toestemming vragen. Ik ben inmiddels oud en wijs genoeg om te doen wat ik zelf leuk vind.'

'En met Toon een bruiloftsfeestje vieren vind je leuk,' concludeert Thomas en als ze knikt kan Toon er niet meer omheen.

Op een mooie dag in mei strooien de klokken van de dorpskerk hun vrolijke klanken uit over de streek. Zij nodigen belangstellenden uit de huwelijksmis van Jaap en Kaatje bij te wonen. Een trouwerij op een zonnige dag, dan moet iedereen wel vrolijk zijn, maar schijn bedriegt. Er zijn er minstens twee voor wie deze trouwdag een verschrikking is. Kaatje van Egmond ziet tegen haar huwelijk met Jaap Kootwijk op als tegen een berg, en de gevoelens van Toon houden het midden tussen verdriet en medelijden. Verdriet omdat hij nu wel definitief afstand moet nemen van het meisje dat hij liefheeft en medelijden omdat datzelfde meisje moet trouwen met een jongen waar ze niet van houdt. Zij houdt van hem en hij houdt van haar, maar ondanks dat speelt hij vandaag de tweede viool. Samen met Hein heeft hij de kapwagen versierd en het paard geroskamd alvorens het zijn mooiste tuig om te hangen. Ilse heeft hij afgehaald bij De Eikenhorst en afgeleverd bij Thomas, die haar in zijn rijtuigje mee zal nemen naar de kerk. Zelf is hij, met zijn stiefbroer Jaap in de kapwagen, op weg naar de Meerhoeve om Kaatje af te halen. Hij doet het tegen heug en meug, maar hij kon het verzoek van ome Arie daartoe niet negeren. Hij speelt dus zijn hulpvaardige rol als dienaar maar als hij, bij de Meerhoeve aangekomen, de bijna radeloze blik van Kaatje opvangt, zou hij haar wel willen wegvoeren naar een plek waar ze altijd samen zouden kunnen zijn. Maar in plaats daarvan houdt hij het portier van het rijtuig voor de bruid en de bruidegom open.

De kerk is tot de laatste plaats bezet, want bij het huwelijk van kinderen van de twee rijkste boeren van het dorp mag een zichzelf respecterende dorpeling niet ontbreken. Behalve wat gekuch is het stil in de kerk als pastoor Eerhart het bruidspaar in de echt gaat verbinden.

'Jacobus Kootwijk, wilt gij Katharina van Egmond, hier tegenwoordig, nemen tot uw wettige vrouw, volgens het gebruik van onze Moeder de Heilige Kerk?' vraagt de pastoor. Dan antwoordt Jaap luid en duidelijk: 'Ja, ik wil.' Op dezelfde vraag van meneer pastoor aan de bruid of zij Jacobus Kootwijk tot haar wettige man wil nemen, lijkt het of Kaatje het antwoord daarop schuldig moet blijven. De pastoor moet zich vooroverbuigen om de fluisterende bevestiging van de bruid te kunnen vernemen. In die enkele ogenblikken gaat het in een flits door Toon heen dat Kaatje zich wellicht op het allerlaatste moment bedacht heeft, maar als hij de pastoor ziet knikken, beseft hij dat ook die laatste kans voor hem verkeken is. Het zou ook wel een enorm schandaal gegeven hebben als Kaatje de vraag van meneer pastoor ontkennend had beantwoord. De ceremonie gaat gewoon door. Bruid en bruidegom geven elkaar de rechterhand, waarna de pastoor hen in de echt verenigt. Nadat de ringen met wijwater besprenkeld zijn volgt de uitwisseling ervan en ten slotte vraagt pastoor Eerhart de bevestiging van de Allerhoogste met de woorden: *'Confirma hoc, Deus quod operatus es in nobis.'*

De receptie en de bruiloft worden gehouden in de grote zaal achter het café van Koos Laterveer. Evenals in de kerk is het er druk. Vooral de bruid krijgt complimenten dat zij er zo mooi uitziet. Aan de sieraden die zij draagt, is ook wel te zien dat zij de vrouw is geworden van een rijke boerenzoon.

Kaatje kijkt niet erg gelukkig als Toon haar feliciteert. Zij geeft hem een klam handje en bedankt ook Ilse voor haar gelukwensen. Eigenlijk zou hij zich willen verontschuldigen voor zijn gezelschap, maar dat is natuurlijk onzin. Gek is het wel dat hij zich toch bezwaard voelt. Andere feestgangers zouden het niet begrijpen als hij het zou zeggen, want vooral de jonge kerels benijden hem om zijn charmante gezelschap.

Een van de gasten is meester Teulings en met hem raakt hij in gesprek. 'Ik hoorde van Lientje dat jij inmiddels je intrek genomen hebt in het huis van veearts Duyvelaer, hè Toon?'

'Ja, dat heb ik en het bevalt me prima.'

'Hangt het mooie schilderij van Thomas de Zwaan al boven je schrijftafel?'

'Ja, ik kijk de steenbok iedere dag in de ogen en verbeeld me dan dat ik me, net als de bok op de flank van de berg, ook op het hellende vlak bevind, want als aankomend veearts is het wel knokken om acceptatie bij de boeren.'

'Een jonge onderwijzer moet zich ook waarmaken voor de klas, Toon. Voor Gerard ben ik blij dat hij zo'n mooie functie in Veendorp gekregen heeft. Hij heeft een mooi huis en is erg gelukkig met je zuster. De Adehoeve heeft kennelijk een vruchtbare bodem voor jonggeliefden; wanneer mogen we jou en je charmante meisje feliciteren? Van een bruiloft, komt een bruiloft zeggen ze toch!'

'Nee, zover ben ik nog niet, hoor!' lacht Toon, maar hij merkt gedurende het feest dat meerderen er zo over denken; hun bewonderende blikken liegen er niet om. Ilse ziet er dan ook als gewoonlijk beeldig uit. Ze lijkt wel een magneet die aan de ene kant aantrekt, maar omgekeerd afstoot.

Als hij haar na het feest naar huis brengt kust ze hem weer innig en natuurlijk beantwoordt hij haar kussen.

'Mijn ouders zijn nog wel op, denk ik. Zullen we even naar binnen gaan om over onze toekomst te praten?' stelt ze voor. 'Mijn vader zal ik er wel van weten te overtuigen, dat je als veearts best acceptabel bent; je moet niet te min over jezelf blijven denken, hoor!'

'Dat doe ik niet, Ilse, maar ik heb het op het moment erg druk met inwerken en daarin moet ik al mijn energie steken.'

Tijdens zijn kraamvisite bij Corine en Thomas had ze het er al over dat hij wellicht bang was dat vader Van Dijssel dwars zou liggen. Nu meent ze dat hij zich te min voelt. Hij is toch wel verbaasd over haar redenering en kan het alleen verklaren als hij terugdenkt aan vroeger. Toen hij voor het eerst samen met Thomas op De Eikenhorst kwam voelde hij zich ten opzichte van de charmante Ilse nogal lomp en boers, maar in de loop der jaren is zijn gevoel van eigenwaarde flink gestegen. Hij gaat er maar niet verder op in, maar hij ziet wel dat Ilse een traan wegpinkt als hij afscheid neemt zonder een vaste vervolgafspraak.

HOOFDSTUK 9

Tijd is maar een betrekkelijk begrip. Voor wie gelukkig leeft gaat de tijd vaak te snel, maar wie zorgen heeft ervaart de tijd als een loden last die vooral op de ergste pijnpunten drukt.

Lien en Gerard zijn gelukkig met elkaar en met hun zoontje. Trui en Arie herhalen steeds weer dat ze een goede keuze gedaan hebben. De tijd gaat voor beide koppels snel, soms zelfs te snel. Voor Toon is tijd een schaars begrip geworden. Hij moet ermee woekeren om alle boeren met ziek vee op tijd te kunnen bezoeken, want de ziekten onder het vee nemen eerder toe dan af.

Kaatje maakt een moeilijke tijd door. Vóór haar trouwen bleven de uren waarop zij alleen was met Jaap, beperkt tot de zondag. Nu zijn zij dag en nacht samen en dat is zwaar voor een vrouw die niet van haar man houdt. Erger nog, die wekelijks geconfronteerd wordt met de man die ze aanbidt, maar die onbereikbaar is. Toch zou ze de zondagen waarop de hele familie tijdens het koffieuurtje op de Adehoeve samenkomt, niet willen missen. Ze ontmoet er Hein met zijn meisje en, wat belangrijker is, Toon. Lien en Gerard komen maar een enkele keer, want voor hen is de afstand tussen Veendorp en de Adehoeve te groot.

'Blijft u nou maar zitten, hoor!' zegt Rietje Daalmijer, het meisje van Hein, tegen haar aanstaande schoonmoeder op een van de zondagse koffievisites. 'Kaatje en ik zullen wel voor de koffie zorgen, hè Kaatje?'

'Ik laat me verwennen, want jullie hebben nog jonge benen,' lacht Trui. Ze is erg gesteld op de spontane Rietje en ze vindt het ook fijn voor Hein dat hij zo'n lief meisje getroffen heeft. Rietje is de dochter van een wat kleinere boer en niet de eerste keus van Arie, maar hij heeft het niet gewaagd zich ertegen te verzetten, want al bij voorbaat wist hij dat hij anders van Trui de kous op z'n kop gekregen zou hebben.

Rietje en Kaatje gaan bedrijvig aan de gang. Rietje zet de kommen neer en Kaatje schenkt de koffie in en dat laatste geeft aanleiding tot onmin.

'Ik hang, zoals gebruikelijk, weer aan de achterste tepel,' bromt Jaap met een verwijtende blik naar zijn vrouw, die Toon als eerste en hem als laatste inschenkt. Kaatje krijgt een kleur van ergernis, maar zij zegt niks. Zij durft niks te zeggen, want anders krijgt ze het thuis nog zwaarder te verduren. Zij weet wel dat het onverstandig is haar gevoelens voor Toon te laten blijken, maar ze kan niet anders. Ze merkt aan alles dat ook hij naar haar verlangt, maar hij maakt het haar nooit moeilijk. Voor anderen is het niet merkbaar, maar voor haar is een oogopslag al voldoende om te weten dat hij haar liefheeft. Ze heeft hem al enkele keren samen gezien met die Ilse, maar zij kan nauwelijks geloven dat hij iets om dat meisje geeft.

Het is korte tijd later als Jaap zich wederom aan zijn stiefbroer ergert. Toon is door zijn opleiding en omgang met vele mensen uit andere dan boerenkringen, anders dan de bewoners van het kleine dorp aan de Adevaart. Hij heeft de manieren van die andere wereld overgenomen. Dat merken de familieleden die bijeengekomen zijn op de verjaardag van Kaatje. Toon doet iets wat in de boerengemeenschap erg ongebruikelijk is: hij kust Kaatje op beide wangen als hij haar feliciteert. Kaatje kleurt ervan en Jaap ziet het met een donkere blik aan. Hij houdt niet van die moderne fratsen en zeker niet als ze te maken hebben met Toon en Kaatje. Hij ergert zich eraan, maar wil er in het bijzijn van vader en tante Trui niks van zeggen.

Gerard en Lien zijn er ook met hun jongetje. Kaatje is gek op de kleine Bertje en knuffelt hem op haar schoot. Hij heeft haar een cadeautje mogen geven en vol aandacht volgt hij het uitpakken ervan.

'Leuk hè, zo'n kleintje,' lacht Gerard. 'Hebben jullie nog geen plannen voor gezinsuitbreiding, Kaatje?'

'Wij zullen jou tijdig informeren als het zover is, Gerard,' antwoordt Jaap voor zijn beurt. Hij kijkt daarbij uiterst kritisch naar de jonge schoolmeester.

'Ik vroeg het aan Kaatje, Jaap. Of ben jij soms van plan om zelf een kind te baren?'

'Gerard toch!' schrikt Trui. 'Foei, wat stel jij een rare vragen, zeg! Ik hoop dat je je voor de klas beter gedraagt.'

'Let er maar niet op, moeder; het stoort mij als Jaap antwoord geeft op een vraag die ik aan Kaatje stel.' Gerard is een spontane knaap en hij neemt doorgans geen blad voor zijn mond. Dat blijkt wel als hij ook Toon op de korrel neemt. 'Hoe staat het eigenlijk met jouw verkering, Toon?' vraagt hij. 'Ik had Ilse hier wel verwacht.'

Toon schrikt een beetje van die vraag, maar hij laat dat niet merken. 'Ik heb het te druk voor verkering, Gerard,' lacht hij en hij is blij dat niemand erop doorgaat. Vreemd is het natuurlijk niet dat de mensen gaan denken dat hij en Ilse een stel vormen, of althans dat van plan zijn. Bij diverse gelegenheden heeft zij hem vergezeld. Eens te meer neemt hij zich voor de confrontatie met haar uit de weg te gaan. Dat dit een voornemen is waar hij zelf nauwelijks invloed op heeft, ervaart hij al het weekeinde daarna als hij weer even zijn gezicht laat zien in Het Zwanennest.

De band die Ilse heeft met haar tante Corine is erg innig. Als enige dochter van de steenrijke Charles van Dijssel wordt zij niet geacht thuis huishoudelijk werk te doen. Zij verveelt zich dan ook stierlijk en zoekt daarom vaak het gezelschap van haar tante Corine en oom Thomas. De laatste leert haar schilderen en boetseren en daar gaat ze helemaal in op. Als Toon op bezoek komt loopt zij er rond met een schort voor en kan ze hem geen hand geven, want haar handen en haar schort zitten onder de verf.

'Ik maak mijn handen even schoon en kom zo, hoor!' roept ze. Het spijt haar dat zij de man die haar hart sneller doet kloppen, niet spontaan kan begroeten, maar dat maakt ze even later goed, compleet met een kusje. Toch verontschuldigt zij zich nog voor haar uiterlijk. De verf heeft zij niet helemaal van haar handen af gekregen en haar schort heeft alle kleuren van de regenboog.

'Zij ziet eruit zoals het een echte kunstenares betaamt,' zegt Thomas. 'Ilse heeft echt aanleg, hoor!'

'Als jij het zegt geloof ik het meteen,' zegt Toon en hij wil het ook graag geloven. Zo met een vuile schort en vuile handen is Ilse hem sympathieker dan het porseleinen poppetje dat hij doorgaans ziet.

'Vind jij het zelf leuk om te doen?' vraagt hij en als Ilse knikt moedigt hij haar aan door te gaan met die leuke hobby.

Terwijl Thomas bij Corine in de huiskamer blijft, gaat hij met Ilse naar het atelier van Thomas en laat zij hem haar werk zien. Ze is met twee dingen tegelijk bezig. Op een ezel staat een schilderij dat nog lang niet af is en op een tafel staat een klomp klei dat al een beetje begint te lijken op een beeldje. Ilse vertelt hem dat ze afwisselend aan het schilderij en het beeldje werkt.

'Door die afwisseling krijg ik inspiratie,' zegt ze met een eigenwijs gezichtje. Ze laat hem ook een schilderijtje zien dat al klaar is. 'Hoe vind je het?' Ze kijkt hem vol verwachting aan en ze klapt in haar handen van blijdschap als Toon zegt dat het erg mooi is.

'Thomas zei dat je aanleg hebt en nou zie ik het zelf ook.' Hij meent het ook en hij vindt het fijn voor haar dat ze eindelijk een bezigheid gevonden heeft waarin ze zich helemaal kan uitleven. 'Misschien kun je thuis een ruimte inrichten als atelier, of gaat dat niet?'

'Ik ontvlucht De Eikenhorst zo veel mogelijk, Toon.'

'Is daar een reden voor?'

'Ik durf er met jou bijna niet over te praten, Toon.' Ze kijkt hem met een zielig gezicht aan en de tranen springen haar in de ogen.

'Wat is er nou?' Toon schrikt een beetje van haar reactie.

'Het is vreselijk, Toon.' Ze barst in snikken uit en met hor-

ten en stoten vertelt zij dat haar vader haar wil koppelen aan de rijke bankierszoon Christiaan van Zuylen. 'Ik geef niks om hem en ik wil hem ook niet.' Ze kijkt zó zielig dat Toon medelijden met haar krijgt en probeert haar te troosten. Zij gaat daar heftig op in, slaat haar armen om zijn nek en kust hem hartstochtelijk op z'n mond. 'Ik heb papa gezegd dat ik zelf een andere keus wil maken, maar jouw naam heb ik niet genoemd. Volgens mijn moeder moet ik dat wel doen. Zij denkt dat papa een veearts ook wel acceptabel vindt.' Maar dan schrikt ze, want de verfresten op haar schort hebben de kleren van Toon besmeurd. 'O, wat dom van me!' steunt ze, maar Toon lacht haar zorgen weg. Hij is allang blij dat dit incidentje de aandacht een beetje van het voor hem zo pijnlijke onderwerp afleidt. Hij maakt van de verwarring gebruik terug te gaan naar de huiskamer. 'Ben je ook aan het schilderen geslagen, Toon?' lacht Thomas. Hij begrijpt best wat er gebeurd is, maar hij houdt zich van den domme. Ilse maakt zich nog zorgen om de besmeurde kleding van Toon, maar hij wuift haar zorgen weg. 'Ik heb in het laboratorium van dokter Duyvelaer wel een middeltje om de vlekken weg te poetsen, hoor!'
Na nog wat nagepraat te hebben neemt hij met een armzwaai van allen, inclusief Ilse, afscheid. Hij wil liever niet nog eens met Ilse alleen zijn, want hij weet zo langzamerhand niet meer wat hij met haar aan moet.

'De stalknecht van ene familie Van Dijssel is hier geweest met de vraag of dokter Koetsier naar De Eikenhorst wil komen in verband met de ziekte van een van de paarden,' zegt mevrouw Duyvelaer als Toon van zijn ochtendronde thuiskomt.
'Bij mijn weten hebben wij nog nooit iets te maken gehad met die familie, Toon. Ben jij wel eens op De Eikenhorst geweest?'
'Meer dan eens, mevrouw, en ik ken die familie goed.' Toon is niet blij met de boodschap, want hij vermoedt dat Ilse

erachter zit. De Eikenhorst ligt buiten het gebied dat door de praktijk van dokter Duyvelaer bediend wordt en het is dus niet verwonderlijk dat mevrouw de familie niet kent. Wat moet hij daar nou weer mee? Hij heeft zich zo voorgenomen de contacten met Ilse te vermijden en nu dit weer. Zou zij nou nog steeds niet begrijpen dat hij geen verkering met haar wil? Hij is misschien acceptabel voor haar vader, maar, lieve help, zij is niet acceptabel voor hem! Hoe moet hij haar dat aan het verstand brengen zonder pijnlijke consequenties? Hij weet het niet en met een bezwaard gemoed gaat hij op weg naar De Eikenhorst.

'Fijn dat je zo snel kon komen, Toon,' zegt Ilse als zij opendoet. 'Ik zal mama even roepen, want zij wil er ook bij zijn als je Jona onderzoekt.' Jona blijkt het rijpaard van mevrouw te zijn.

Na zijn onderzoek kan hij de dames geruststellen dat het niet ernstig is. Hij schrijft wat medicijnen voor die door de stalknecht afgehaald kunnen worden. 'Ik ga even een kopje thee zetten, Toon. Je hebt toch nog wel even tijd.' Zonder zijn antwoord af te wachten holt Ilse weg, zodat hij alleen met haar moeder achterblijft.

'Ilse is erg op u gesteld, dokter; mijn man heeft een bankierszoon voor haar op het oog, maar zij is niet gelukkig met die keuze,' vertrouwt ze hem toe.

'Dat heb ik van haar begrepen, mevrouw. Als u zegt dat zij erg op mij gesteld is dan denk ik dat dat zwak uitgedrukt is. Helaas heb ik niet dezelfde gevoelens voor haar, maar ik vind het zo pijnlijk haar dat te zeggen. Zij zou er wellicht goed aan doen de keuze van uw man te volgen en mij te vergeten. U als moeder weet zeker een manier te vinden om haar daarvan te overtuigen.'

'Ik respecteer uw gevoelens, dokter. Laten we nog even een kopje thee gaan drinken. Daarna zal ik met mijn dochter praten. Ilse is een verstandig meisje en ze zal het zeker begrijpen, maar ze zal ook erg verdrietig zijn.'

'Nog één vraag, mevrouw. Als ik straks afscheid neem wilt

u er dan voor zorgen dat ik niet alleen met haar ben?'

Het gaat zoals Toon gevraagd heeft, maar vóór het afscheid vraagt Ilse hem nadrukkelijk vlug weer eens langs te komen om samen te gaan paardrijden. Kort daarvoor, tijdens de theepauze, heeft Toon verteld dat het erg druk is in de praktijk van dokter Duyvelaer en daar haakt mevrouw op in.

'Daar heeft de dokter toch geen tijd voor, meisje,' zegt ze en ze wisselt een blik van verstandhouding met Toon.

Het is voor Toon een wat paradoxale situatie. Twee jonge vrouwen houden van hem, maar met geen van de twee zal hij trouwen. Met de een niet, omdat ze al getrouwd is en met de ander niet, omdat hij haar gevoelens niet deelt.

Het is een vrij lange rit naar zijn volgende afspraak en dat geeft hem de gelegenheid eens rustig na te denken over zijn eigen toekomst. De meeste mannen van zijn leeftijd zijn al getrouwd en velen hebben een gezin. En wat doet hij? Hij draait in een kringetje rond als een hond die in zijn eigen staart wil happen. Net zoals hij gebroken heeft met Ilse, zo moet hij afstand nemen van Kaatje. In de praktijk zal dit echter anders uitpakken.

Het is stormachtig die onheilsdag in november. Jaap heeft zojuist het paard voor de brik gespannen en is klaar om samen met zijn vader naar de markt te gaan. En dan gebeurt het vreselijke. De merrie schrikt van een opwaaiend stuk papier en maakt een zijsprong waardoor Jaap bekneld raakt tussen de wagen en een muur. Zijn gegil wordt gehoord door Arie, maar als die op de plaats des onheils komt ligt zijn zoon al bewusteloos naast de brik.

'Trui!' roept hij en rent in paniek naar binnen.

'Wat is er, Arie?' Trui schrikt zich lam van haar paniekerige echtgenoot, maar ze schrikt nog harder als ze Jaap meer dood dan levend tussen de brik en de muur ziet liggen. 'Wat is er dan gebeurd?' roept ze, maar Arie schudt zijn hoofd dat hij het niet weet. Wat hij wel weet is dat Jaap vlug geholpen moet worden. En dan doet hij iets wat hij beter niet had kunnen doen. Samen met Trui tilt hij het slappe lichaam van Jaap in de brik om er spoorslags mee naar de dokter te rijden. Beter was het geweest het slachtoffer te laten liggen en de dokter te laten komen, maar Arie en Trui deden wat hun hart hun ingaf.

Gelukkig is de dokter thuis en die wil eerst weten wat er is gebeurd.

'Waarschijnlijk is hij, door een voor mij onbekende oorzaak, bekneld geraakt tussen de brik en de muur van de wagenschuur en bewusteloos geraakt, dokter,' zegt Arie.

'En wat hebben jullie toen gedaan, Kootwijk?'

'Mijn vrouw en ik hebben hem op de brik getild en ik ben zo snel mogelijk hierheen gekomen.'

'Juist, ja.' Dokter De Boog krabt zich achter de oren en kijkt bedenkelijk als hij de patiënt vluchtig onderzocht heeft. Hij vreest dat de ribben van de man gebroken zijn en dat de scherpe kanten ervan edele delen geraakt hebben bij het vervoer, maar hij praat er niet over. Wel besluit hij onmiddellijk door te rijden naar het ziekenhuis in de stad.

Terwijl de artsen in het ziekenhuis bezig zijn met het slachtoffer, blijft Arie vol spanning achter in de wachtkamer. Dokter De Boog heeft hem beloofd hem over de toestand van Jaap te informeren als er wat meer bekend zal zijn, maar zijn geduld wordt wel erg op de proef gesteld. Als na meer dan een uur dokter De Boog samen met een arts van het ziekenhuis, terugkomt van de behandelkamer, heeft hij geen goed nieuws.

'Er zijn drie ribben gebroken en een ervan heeft de longen van uw zoon ernstig beschadigd. Hij wordt momenteel geopereerd en getracht zal worden de schade tot een minimum te beperken, maar houd er rekening mee dat herstel lange tijd zal duren,' zegt de arts van het ziekenhuis. Op advies van dokter De Boog rept hij niet over het ondeskundige vervoer van de patiënt, waardoor de longbeschadiging is ontstaan.

'Kan ik mijn zoon al zien, dokter?' vraagt Arie, maar de

arts schudt zijn hoofd.

'Dat heeft geen zin, meneer Kootwijk. Ten eerste weet ik niet wanneer hij van de operatietafel komt en dan nog is hij geruimte tijd niet aanspreekbaar.'

'Ik word door het ziekenhuis op de hoogte gehouden en als er complicaties optreden zal ik je onmiddellijk waarschuwen, Kootwijk,' belooft dokter De Boog. 'Als je niks hoort kom dan morgenochtend terug, want dan weten we waarschijnlijk iets meer.'

Het is met een bezwaard gemoed dat Arie huiswaarts keert. Daar wachten hem zijn doodongeruste vrouw, schoondochter Kaatje en zoon Hein. Natuurlijk wordt hij overvoerd met vragen, die hij echter maar voor een deel kan beantwoorden.

'Rijd jij naar Veendorp, Hein, en vraag of Toon zo vlug mogelijk kan komen. Hij is weliswaar veearts, maar hij weet beter dan wij wat er aan de hand kan zijn.'

'Je stiefbroer Hein Kootwijk is aan de deur, Toon, hij moet je dringend spreken.' Met die boodschap meldt mevrouw Duyvelaer zich op de kamer van Toon. Hij is net bezig zijn programma voor de middag op te maken en is verrast door de komst van Hein.

'Toch niks ernstigs, Hein,' zegt hij als hij zijn stiefbroer begroet, maar Hein kijkt ernstig en knikt.

'Ja, er is iets heel ergs gebeurd, Toon; Jaap heeft een ongeluk gehad en ligt zwaargewond in het ziekenhuis in de stad. Pa vraagt of je zo vlug mogelijk wilt komen.'

'Ik ga meteen met je mee, Hein. Vertel me onderweg maar wat er gebeurd is.' Toon schrikt als Hein verteld heeft wat er die dag op de Adehoeve gebeurd is. Gebroken ribben zijn naar en pijnlijk, maar een beschadigde long is erger.

'Wat adviseer je ons te doen?' vraagt Arie als Toon op de Adehoeve aankomt.

'Op dit moment niks, ome Arie. Ik rijd meteen door naar het ziekenhuis en laat me over de toestand van Jaap informeren.' Toon weet dat hij als gelijkwaardig door de artsen van het ziekenhuis behandeld zal worden en dat gebeurt ook als hij er is. De informatie van de dienstdoende arts stelt hem allerminst gerust. Het is hem dan wel duidelijk dat het onoordeelkundige vervoer van de gewonde de ergste schade heeft veroorzaakt. Een patiënt met gebroken ribben moet je voorzichtig op een draagbaar schuiven, hij moet vooral niet aan armen en benen in een brik gesleurd worden.

Met die wetenschap komt hij terug op de Adehoeve en heeft eigenlijk niet veel nieuws te melden, want over die gebroken ribben en de beschadigde long is Arie zelf al geïnformeerd.

'Die beschadigde long is het ergste. Jammer dat de dokter er niet eerst bij gehaald is,' vindt Toon.

'Hebben wij het fout gedaan?' vraagt Arie, maar Toon schudt zijn hoofd.

'U hebt gedaan wat u dacht dat goed was; dat door het gesleep met Jaap de long beschadigd werd, konden jullie niet weten.'

'Maar het is wel onze schuld,' steunt Trui.

'Van schuld is hier geen sprake, moeder,' verzekert Toon haar, maar zelf is ze daar niet van overtuigd.

'Geneest zo'n beschadigde long snel?' wil ze weten, maar aan het bedenkelijke gezicht van haar zoon ziet ze wel dat dat niet het geval is.

'We zullen er rekening mee moeten houden dat Jaap voorlopig niet thuiskomt en dat zijn revalidatie daarna nog lang zal duren. Hopelijk houdt hij er niks aan over, maar een geperforeerde long is een kwalijke zaak.'

Al met al geen bericht dat de bewoners van de Adehoeve gerust kan stellen.

'Ik loop even naar Kaatje toe om ook haar te informeren,' zegt Toon als hij afscheid neemt en belooft diezelfde avond nog een keer naar het ziekenhuis te zullen rijden om te zien hoe het dan is.

'O, ben je al terug, Toon, ik heb je niet zien komen,' zegt Kaatje als ze haar zwager begroet. 'Hoe gaat het nou met Jaap?'

'Niet zo best, Kaatje.' En dan vertelt Toon hetzelfde verhaal als op de Adehoeve.

'Wat 'n narigheid toch allemaal,' zucht ze.

'Trek het je niet zo aan, Kaatje; we moeten maar hopen dat alles weer goed komt. In het ziekenhuis is hij in ieder geval in goede handen.'

'Denk je dat hij daar lang moet blijven?'

'Dat denk ik wel.'

'O.'

'Vind je dat erg vervelend?'

'Ja, tenminste...' Ze staat zichtbaar te twijfelen, krijgt een kleur en schudt haar hoofd. 'Ik kan niet tegen jou liegen, Toon.'

'Vind je het niet vervelend?'

'Een poosje zonder Jaap vind ik eerlijk gezegd wel fijn.'

'Arme Kaatje,' fluistert Toon en hij legt een hand op haar schouder, die zij met haar eigen hand bedekt. Ze kijkt hem met een verdrietige blik in haar ogen aan en ze knikt als hij vraagt of ze een slecht leven heeft bij Jaap.

'Ik ben erg ongelukkig, jongen.' Ze vlijt haar hoofd tegen zijn borst en haar schouders schokken.

Als hij haar hoofd oplicht kijkt hij in een paar droevige betraande ogen en dan kan hij het niet laten haar een troostend kusje te geven. Vervolgens schrikt hij zelf van haar reactie. Ze slaat haar armen om zijn nek, drukt zich wild van verlangen tegen hem aan en klemt haar lippen om de zijne. Aan haar kus komt bijna geen einde en als hij haar lippen even loslaat, drukt zij haar mond weer op de zijne. Zo staan ze een poos met de armen om elkaar heen en de lippen op elkaar tot Toon haar armen voorzichtig losmaakt.

'Dit mogen wij niet doen, lieve Kaatje,' zegt hij zacht. 'Ik schaam me dood!'

'Jij hoeft je nergens voor te schamen, Toon. Wij waren voor

elkaar bestemd, maar mijn vader drukte zijn zin door. Mijn huwelijk met Jaap stelt niets voor. Er is maar één ochtend in de week waarop ik gelukkig ben en dat is op zondagochtend als we gezamenlijk koffiedrinken op de Adehoeve en jij er ook bent.'

'En toch voel ik me erg bezwaard, Kaatje. Ik maak misbruik van het ongeluk van Jaap en dat is niet netjes.'

'Maar je houdt toch van me, lieverd.' Kaatje leeft bij het moment, klampt zich weer aan haar geliefde vast en kust hem innig.

'Ik moet nu echt gaan, meisje, want ik moet mijn ronde nog afmaken en daarna rijd ik nog even naar het ziekenhuis. Als er nieuws is zal ik je dat laten weten.'

'Kom je gauw weer terug?' Het nieuws over Jaap interesseert haar kennelijk minder dan de terugkomst van Toon.

In het ziekenhuis in de stad kunnen de doktoren hem nog niet veel nieuws melden. Wel is Jaap bij kennis als hij hem bezoekt, maar hij is nog niet aanspreekbaar. Hij ligt op de afdeling intensieve zorg en wordt dus dag en nacht in de gaten gehouden.

Met die informatie komt hij terug op de Adehoeve en, omdat hij ook Lientje en Gerard nog moet informeren en dus haast heeft, belooft moeder Trui Kaatje te zullen inlichten. Dat laatste wil hij zelf liever niet doen. Hij verlangt naar haar innige kussen, maar hij moet niet te veel toegeven aan de verleiding.

Hij is die dag zó druk in de weer geweest, dat hij die avond best moe is, maar eenmaal in bed kan hij de slaap vooreerst toch niet vatten. Hij is nog helemaal in de ban van zijn ontmoeting met Kaatje. Maar ook zijn zelfverwijt steekt de kop weer op. Profiteren van Jaaps ongeluk door met Kaatje te gaan staan vrijen is, hoe je het ook wendt of keert, niet netjes.

Maar nu hij die schat vol in zijn armen gehouden heeft en ze elkaar bij voortduring innig gekust hebben, weet hij wat echte liefde is. Daarbij vergeleken is dat gescharrel met Ilse, want meer was het niet, maar surrogaat. Als de liefde van twee kanten komt kun je er samen helemaal in opgaan. In het huwelijk tussen Jaap en Kaatje komt de liefde hooguit van één kant, maar zelfs daar twijfelt hij aan. Kaatje heeft een slecht leven bij Jaap en dat komt niet alleen doordat hij merkt dat zij niets om hem geeft. Hoe kun je een meisje waar je zelf wel van houdt, het leven zó zuur maken? Hij zou haar op handen moeten dragen om zodoende haar liefde of minstens genegenheid te winnen. Maar wat doet hij? Hij is bokkig en jaloers. Vooral jaloers op hem, want hij merkt aan het gedrag van Kaatje natuurlijk wel naar wie haar echte gevoelens uit gaan.

'Zolang je in deze kritieke situatie contacten met het ziekenhuis in de stad moet onderhouden, moet je zelf je dagindeling maar maken,' zegt Johan Duyvelaer als Toon hem geïnformeerd heeft over de toestand van zijn stiefbroer. Hij beschikt over een eigen rijtuig met paard en daarmee gaat hij de dag na het ongeluk naar de stad. Onderweg pikt hij Kaatje op.

'Wil je niet binnen zitten?' vraagt hij als Kaatje bij hem op de bok klimt, maar zij schudt haar hoofd.

'Nee, ik kom gezellig bij jou zitten, Toon,' zegt ze met een stralende glimlach. Wel accepteert ze graag de paardendeken die hij over haar knieën drapeert en als ze een eindje van de hoeve verwijderd zijn, schuift ze ook dicht tegen hem aan. 'Zo houden we elkaar warm, hè?' Ze kijkt hem diep in zijn ogen en er gaat een siddering van geluk door haar heen.

'U mag een kwartiertje bij de patiënt,' zegt de hoofdzuster als ze in het ziekenhuis komen.

'Is hij bij kennis?' vraagt Toon en de zuster knikt.

'Hij is wel bij kennis, maar hij zakt af en toe weg, want hij is erg moe en heeft veel pijn. Hij mag zich niet bewegen en praten zal wel te vermoeiend voor hem zijn.'

'Dat klinkt niet erg positief,' concludeert Toon en de zuster deelt zijn mening. Zij gaat hen voor naar de kamer van Jaap en laat hen daar alleen met de patiënt.

'Bezoek voor u, meneer Kootwijk,' zegt ze nog voordat ze weggaat.

'Ik weet dat praten te zwaar voor je is, Jaap, maar weet dat we met je meeleven, hè Kaatje?'

'Ja, dat doen we; gaat het een beetje, Jaap?' vraagt ze met een bedeesd stemmetje, maar Jaap reageert niet. Hij kijkt alleen maar en Toon ziet duidelijk dat dat met een verwijtende blik is. Het zint hem waarschijnlijk niet dat hij, Toon, met Kaatje gekomen is. Hij vertrouwt het waarschijnlijk niet en dat is niet helemaal, of zelfs helemaal niet ten onrechte.

'Wil het bezoek afscheid nemen?' vraagt dezelfde zuster na het kwartier en dat is voor zowel Toon als Kaatje een opluchting, want stommetje spelen bij deze verwijtend kijkende patiënt is nogal pijnlijk.

'Houd je goed, Jaap,' zegt Toon. 'Morgen komen je vader en tante Trui.' Bij de deur steken ze beiden hun hand op en dan staan ze in de gang.

'Laten we maar gauw naar buiten gaan, want ik word beroerd van die nare ziekenhuislucht,' zucht Kaatje en Toon is het met haar eens. Ze halen paard en wagen op en Kaatje nestelt zich weer naast Toon op de bok van het rijtuig.

'Wat keek Jaap raar, hè?' zegt ze en Toon knikt.

'Een verwijtende blik was het; ik denk dat hij jaloers is en dat hij liever heeft dat je samen met iemand anders op bezoek komt.'

'Maar ik vind het juist zo fijn om samen met jou te gaan,' zucht Kaatje. Ze drukt zich weer stevig tegen hem aan en als ze de stad verlaten hebben tuit ze haar rode mondje en dan kan Toon het wederom niet laten er een innig kusje op te drukken.

'Het is niet zo vreemd dat Jaap jaloers is, Kaatje,' zegt hij als ze weer om een kusje bedelt. Hij heeft zichzelf bij herhaling voorgehouden dat hij de verleiding uit de weg moet gaan, maar wat doet hij? Met de verwijtende blik van Jaap nog op zijn netvlies zit hij alweer te kussen met diens vrouw.

'Het is nou zijn beurt om jaloers te zijn, hoor!' sputtert Kaatje tegen.

'Zijn beurt?' Toon kijkt haar met een verbaasd gezicht aan. 'Wie was er dan eerst jaloers?'

'Ik.'

'Jij? Op wie dan?'

'Op Ilse.'

'Och, lieve kind, dat was helemaal niet nodig. Ilse was wel gek op mij, maar ik niet op haar.'

'Houd je van mij, Toon?' Ze kijkt hem met zachte ogen en een verliefde blik aan.

'Jij vraagt naar de bekende weg, meisje. Onthoud nou voor eens en voor altijd dat wij niet van elkaar mogen houden. Jij bent getrouwd met Jaap en wij mogen hem niet langer bedriegen.'

'Ik kan er niks aan doen dat ik dag en nacht naar jou verlang, lieverd,' zucht ze en haar ogen worden vochtig als ze hem aankijkt. Ze laat haar hoofd tegen zijn bovenarm rusten en haar schouders schokken.

'Stil nou maar,' zegt hij zacht. Hij moet verstandig zijn, maar dat is moeilijk als alle vezels in je lijf zich spannen van verlangen naar juist dit lieve meisje. In een teder gebaar legt hij zijn arm om haar schouders en trekt haar zacht tegen zich aan. Zo blijven zij zitten tot ze het dorp naderen. Om praatjes tegen te gaan schuiven ze dan een eindje van elkaar af en nemen met alleen een handdruk afscheid als ze bij de hoeve zijn.

Toon heeft Lien en Gerard beloofd hen op de hoogte te zullen houden van de toestand van Jaap en dus gaat hij die avond even bij hen langs. De woning van Lien en Gerard bevindt zich op loopafstand van het huis van dokter

Duyvelaer, dus kan hij paard en gerij thuislaten.

Het is vroeg donker en met de lamp aan boven de tafel is het echt gezellig in het huis van zijn zus. De knusse sfeer die hij destijds ook al aantrof in het daggeldershuisje, vindt hij hier terug. Hij heeft met Lien afgesproken dat hij de avond-boterham met hen mee-eet. Na gedankt te hebben gaat Gerard een uurtje naar zijn werkkamer en blijft hij met Lien en de kleine Bertje in de huiskamer achter. Terwijl Lien zich bezighoudt met de afwas, bekommert hij zich om Bertje. De laatste heeft de ervaring dat hij met ome Toon leuke dingen kan doen. 'Bokke bouwe,' roept de kleine, z'n blokkendoos uit een hoek van de kamer naar het midden slepend.

'Goed, laten we dat maar gaan doen,' lacht Toon en hij kruipt op handen en knieën naar het midden van de ruime kamer, waar ze voldoende licht van de lamp hebben.

'Een tole bouwe,' kraait de peuter en voorzichtig stapelen ze samen de blokken op elkaar tot er een toren ontstaat die tot aan de rand van de tafel reikt. 'Mooie tole, mooie tole!' roept Bertje enthousiast in zijn handjes klappend, maar dan barst hij in huilen uit als het hele bouwwerk instort. Vreugde en verdriet van een kind liggen dicht bij elkaar.

'Stil maar!' Toon trekt de kleine op zijn knie, troost hem en droogt z'n tranen aan een slip van zijn overhemd. Dat helpt. 'Kelk bouwe!' brult de kleine weer en Toon is niet zo goed of hij moet de kerk van het dorp nabouwen. Een puntig stuk hout dient voor spits en dan is de kerk klaar.

'En nou voorzichtig zijn dat hij niet omvalt, hoor!' waar-schuwt hij kleine Bertje, die zich tevreden op zijn knie nes-telt en een duimpje in zijn mondje stopt.

'Hij krijgt slaap,' constateert Lien die, haar handen aan haar schort drogend, de kamer in komt. Ze neemt Bertje van hem over en kijkt haar broer glimlachend aan. 'Jij hebt de leeftijd om vader te worden, Toon,' zegt ze.

'Daar heb je wel eerst een vrouw voor nodig,' lacht Toon.

'En Ilse dan?'

'Nee, Ilse is geen vrouw voor mij.'

'Daar kan ik niet over oordelen, hoor! Wat ik wel weet is, dat jij in plaats van Jaap met Kaatje had moeten trouwen.'

'Och Lientje, jij kent toch ook de zeden en gewoonten van deze streek. Als Kors van Egmond zijn dochter aan de zoon van een rijke boer wil koppelen, dan zet hij zijn zin door. Dat is wat er gebeurd is tussen Kaatje en Jaap en jij weet dat, want jij was er destijds bij toen de zaak beklonken werd.'

'Daar heb je wel gelijk in, maar ik heb mijn ogen niet in mijn zak, hoor! Kaatje is erg ongelukkig met Jaap.'

'Vertel mij wat! Het lijkt wel of ze meer ontspannen is nu Jaap in het ziekenhuis ligt.' Over de vertrouwelijke dingen die Kaatje hem verteld heeft en over hun intimiteiten zegt hij niets.

'Maar jij kunt nou wel zeggen dat Ilse geen vrouw voor jou is, maar als ik zie hoe zij naar jou kijkt, dan kan ik niet anders concluderen dan dat ze gek op jou is. Zoiets voel je als vrouw aan. Ik vind haar ook wel erg knap en begrijp eigenlijk niet dat jullie het niet eens geworden zijn.'

'De buitenkant van Ilse is erg aantrekkelijk, Lien, maar dat is niet voldoende.'

'Nou ja, het is jouw leven, maar ik vind het jammer dat jij en Kaatje geen stel konden worden.'

Bertje vindt het maar niks dat zijn moeder helemaal beslag legt op zijn speelkameraad en hij glijdt van haar schoot op de grond, maar moeder Lien trekt hem weer op haar knie en vindt dat het bedtijd voor hem wordt. De koffie is inmiddels klaar en ze roept Gerard.

Papa en ome Toon krijgen een kusje van Bertje en dan gaat de blokkenbouwer onder wat protesten naar zijn bedje. Daarna schenkt Lien de koffie in en hebben ze tijd om ook te praten over de dingen die Gerard bezighouden.

'Het is een dure tijd en het salaris van een eenvoudige schoolmeester is niet overdreven hoog,' moppert hij, 'maar er is ook een lichtpuntje,' voegt hij eraan toe.

'Je bijverdiensten,' raadt Toon. Hij weet dat zijn moeder

Gerard gevraagd heeft de financiële zaken van hoeve De Bok op orde te brengen.

'Ja, ik ben blij met het verzoek van je moeder,' beaamt Gerard de opmerking van Toon. 'Zij vindt Tinus Groot een beste vent en een prima paardenfokker, maar voor het bijhouden van de boeken acht zij hem minder geschikt.'

'Moe deed het voorheen zelf, maar sedert jullie naar Veendorp verhuisd zijn mist ze ook de hulp van Lien en heeft ze het daarvoor te druk.'

'Misschien was het beter geweest als moe een tweede meid had aangenomen, maar dat wilde ze niet,' weet Lien.

'Gelukkig niet,' reageert Gerard. 'Wij kunnen de extra centjes goed gebruiken, Lientje.'

'Dat weet ik wel, jongen, maar jij hebt het al zo druk met de school en je studie. Op je enige vrije middag moet je nu ook nog naar De Bok voor die administratie.'

'Is dat op zaterdagmiddag, Gerard?'

'Ja.'

'Dan kan ik je af en toe wel eens komen helpen, want op zaterdagmiddag ben ik ook vrij, tenzij er spoedgevallen zijn,' biedt Toon aan en aldus wordt afgesproken. Ze keuvelen nog een tijdje door, maar als Lientje begint te gapen, stapt Toon op.

De tijd heelt alle wonden, luidt het gezegde, en die slaat op geestelijke wonden. Maar ook gewone wonden helen, zij het in sommige gevallen langzaam, zoals bij Jaap Kootwijk. Zijn gebroken ribben zitten weer vast, maar de beschadigde long speelt hem nog danig parten. Wel is hij inmiddels zover hersteld dat hij thuis mag revalideren. Werken kan hij niet, maar stilzitten evenmin. Als een wrak scharrelt hij over het erf van de Adehoeve en moet, door de beschadigde long, af en toe amechtig naar lucht happen. Ook zijn ribbenkast doet nog wat pijn. Door zijn ongeluk en uiterst langzame herstel is Jaap verzuurd en Kaatje heeft een erg lastige patiënt aan hem. Hij is nors en veeleisend. Tegen de losse knecht Nelis Boogaard, die tijdelijk zijn werk moet overnemen, doet hij erg bazig. Nelis is een wat brutale knaap van achttien met een eigenwijze bos rood piekhaar. In zijn vale pet zit een gat en daar steekt een bosje rode pieken doorheen.

Toon moet erom lachen als hij op de Adehoeve komt om een zieke vaars te onderzoeken.

Nelis is een brutaaltje, maar wel een levendige knaap en Toon weet dat zijn stiefvader erg op de jongen gesteld is, omdat die willig is en een boel werk verzet. De goedige Arie Kootwijk heeft een gunstige invloed op de vaak opstandige Nelis. Door zijn rooie kuif wordt hij kennelijk veelvuldig gepest en daarom zet hij bij het minste of geringste zijn stekels op, maar niet bij Arie Kootwijk.

'De baas is er niet en heeft mij gevraagd u te helpen, dokter,' zegt Nelis. Het is vanzelfsprekend dat hij de veearts met alle respect behandelt, maar Jaap staat erbij te ginnegappen.

'Het is maar het knechtje van de veearts, hoor Nelis! En je baas staat hier al is hij wat slecht ter been. Je moet nadenken voor je iets zegt.'

'Man, bemoei je er niet mee,' bromt Nelis, 'ik heb maar één baas en dat is je vader.'

'Als je zo beleefd tegen die zogenaamde veearts bent, dan mag je mij ook wel eens met wat meer respect behandelen, jongetje!'

'Ik zou hem voortaan maar 'meneer Jaap' noemen, Nelis,' lacht Toon. Zijn klus zit erop en hij gaat een kop koffie drinken bij zijn moeder.

'Die Jaap kan niet anders dan vervelende dingen zeggen, moe, is het niet tegen mij dan tegen Nelis, terwijl die jongen niets verkeerds doet.' De houding van Jaap irriteert Toon bovenmatig.

'Let maar niet te veel op hem, jongen; door zijn ongeluk is Jaap erg verbitterd. Ik hoop maar dat hij snel herstelt, want die arme Kaatje heeft momenteel ook heel wat met hem te stellen. Lastig en veeleisend is hij en het lijkt wel of dat steeds erger wordt. Het lieve kind heeft al diverse keren haar nood bij mij geklaagd.'

'Houd haar maar een beetje in de gaten, moe; ik heb echt met haar te doen.'

'Dat geloof ik graag, jongen, maar houd je verstand erbij, want ik ken de gevoelens die jullie voor elkaar hebben.'

'Ik beloof het, moe.' Toon schrikt een beetje van de uitspraak van zijn moeder. Het kan heel goed zijn, dat Kaatje in een emotionele bui haar liefde voor hem heeft laten doorschemeren.

Naast het keuren van aangekocht vee en paarden helpt Toon op zaterdagmiddag ook zijn zwager bij het op orde houden van de administratie en de boekhouding op hoeve De Bok.

Die zaterdag heeft hij nogal wat keuringen te verrichten en is dus in de loop van de ochtend al gearriveerd. Als hij klaar is met de keuringen gaat hij koffiedrinken bij Greetje, de vrouw van Frans Borst. Zij kennen elkaar al vele jaren, want Greetje was als jong meisje al dienstbode bij zijn moeder. Ze is gelukkig met Frans en zij voelen zich eigenlijk de beheerders van het bedrijf. Maar Tinus Groot heeft de oudste rechten en laat zich de kaas niet van het brood eten.

'Gezellig dat je er even uitgebroken bent, Toon,' zegt Greetje hartelijk. Zij is erg gesteld op de oudste zoon van haar bazin en verwent hem graag met lekkere koffie met een koekje erbij.

'Bij jou drink ik altijd graag een bakkie koffie, Greetje; hoe staan de zaken?'

'Ach, wat moet ik ervan zeggen; met Frans en mij gaat het wel goed.'

'En met Tinus?'

'Tinus? Dat is een verhaal apart, Toon. Hij scharrelt tegenwoordig met de weduwe Jans Klaver en het ziet ernaar uit

dat die twee het wel eens zullen worden.'
'Daar is niks op tegen, zou ik zo zeggen; Tinus heeft er tenslotte ruim de leeftijd voor.' Het laatste heeft Toon lachend gezegd.
'Dat hij gaat trouwen vind ik best, maar hij heeft al eens laten doorschemeren dat wij maar eens moeten uitkijken naar een andere woning.'
'Wil hij dan met die Jans hier op De Bok gaan wonen?'
'Kennelijk. Hij schijnt er geen zin in te hebben bij de weduwe in te trekken. Het armoedige huisje van Jans Klaver staat hem heel niet aan.'
'Ik vind het een raar verhaal, Greetje.'
'Wat denk je van ons, Toon? Frans is een beste handelaar en het leeuwendeel van de verkopen komen voor zijn rekening. Toch blijft Tinus de baas spelen en nou wil hij ons hier nog weg hebben ook.'
'Daar gaat Tinus niet over, Greetje.' Toon kan haar niks beloven, maar hij neemt zich wel voor er met zijn moeder over te praten. Voordat hij terugkeert naar Veendorp gaat hij even bij de Adehoeve langs.

'Ik was op De Bok en daar had ik een nogal verrassend gesprek met Greetje, moe,' zegt Toon als hij zijn moeder die middag alleen treft. 'Ze is bang dat zij en Frans het veld moeten ruimen voor Tinus en de weduwe Klaver.'
'Wat is dat nou voor een raar verhaal,' reageert moeder Trui. 'Heeft Tinus iets met Jans Klaver?'
'Ja, ze schijnen zelfs trouwplannen te hebben en Tinus schijnt er geen zin in te hebben bij de weduwe in te trekken. Haar armoedige huisje staat hem niet aan.'
'Dat is zijn probleem, Toon. Als Tinus met Jans op De Bok wil gaan wonen dan zal hij mijn toestemming moeten hebben.'
'En ben je van plan die te geven?' Toon kijkt zijn moeder met gefronste wenkbrauwen aan, maar die schudt haar hoofd.

'Nee natuurlijk niet; ik bedoel dat hij eerst bij mij moet komen en niet bij Frans of Greetje. Laten we maar afwachten welke plannen Tinus heeft. Ik ga daar niet op vooruitlopen, maar je kunt Greetje wel zeggen dat ze zich niet ongerust hoeft te maken.'

De problemen op hoeve De Bok worden eerder opgelost dan verwacht en dat heeft alles te maken met een nieuw paard van Thomas de Zwaan.

'Was je ons vergeten?' vraagt Thomas als Toon na een hele poos weer eens zijn gezicht laat zien.

'Hoe zou ik jullie nou kunnen vergeten; de reden is dat ik het heel erg druk heb.' Toon liegt niet echt, maar zijn drukke bestaan als veearts is niet de enige en zelfs niet de belangrijkste reden. Nadat hij Ilse via haar moeder duidelijk heeft gemaakt dat hun gevoelens niet met elkaar stroken, ziet hij erg op tegen een nieuwe confrontatie. De kans haar te ontmoeten is het grootst op Het Zwanennest en die wetenschap zorgt voor zijn dilemma. Wegblijven staat onaardig tegenover het bevriende echtpaar en gaan kan een pijnlijke confrontatie met Ilse opleveren. Toch heeft hij nu de stoute schoenen aangetrokken en hij is opgelucht te ontdekken dat Ilse er niet is.

'Ik heb weer lekkere café filtre,' zegt Corine en dat breekt voor Toon de spanning. Het valt hem even later ook op dat Corine de Nederlandse taal wat beter onder de knie krijgt en hij geeft haar daarvoor een complimentje, maar Thomas wil ook een deel van de eer opstrijken.

'Als Corine in het Frans tegen me begint doe ik net of ik het niet versta en dan moet ze wel Nederlands spreken,' zegt hij lachend. Ze moeten lachen als Corine een dreigend vingertje opsteekt en met een pruilmondje 'gamin deugeniete' zegt.

Ze drinken vervolgens gezellig koffie en dan pakt Thomas een lampje en vraagt Toon even mee te gaan naar het slaapkamertje van de kleine Freddie. In zijn ledikantje ligt de kleine met roze wangetjes vredig te slapen en vader Thomas glimt van trots. 'Lief, hè?' zegt hij zacht en dan komt Corine er ook nog even bij. Toon beaamt het en hij is een beetje jaloers op dit gelukkige koppel. 'Jij hebt de leeftijd om vader te worden' zei Lien onlangs en als hij dit ziet dan beseft hij wat hij mist.

Na allerlei nieuwtjes en ervaringen uitgewisseld te hebben zegt Thomas dat hij kortgeleden een paard bij De Bok gekocht heeft.

'Dat weet ik,' zegt Toon en Thomas kijkt hem verbaasd aan. 'Hoe kun jij dat nou weten; we hebben elkaar in geen maanden gezien!'

'Ik weet het, omdat ik samen met mijn zwager de boeken op De Bok bijhoud.'

'O, zit dat zo? Het is een prachtig paard; die Tinus Groot heeft er wel kijk op, hoor! Maar de prijs is er dan ook naar.'

'Dat valt nogal mee,' weet Toon, maar Thomas is het niet met hem eens en noemt het bedrag dat hij aan Tinus betaald heeft. Daar schrikt Toon van, want hij herinnert zich een veel lager bedrag in de boeken te hebben gezien en hij zegt het ook, maar daar moet Thomas om lachen.

'Als ik jou was zou ik me maar bij mijn vak als veearts houden, want van boekhouden heb jij kennelijk weinig verstand of je hebt een erg slecht geheugen.'

'Dat zal dan wel,' geeft Toon toe, maar hij vindt het toch vreemd dat hij zich zó kan vergissen.

Het geval laat hem vervolgens niet los en als hij de volgende zaterdagmiddag samen met Gerard op hoeve De Bok is, zoekt hij het bedrag op waarvoor Tinus het paard aan Thomas verkocht heeft. Dan ziet hij tot zijn ontsteltenis dat er een aanzienlijk verschil is tussen het bedrag dat Thomas noemde en het bedrag dat Tinus in de boeken verantwoord heeft.

'Kom eens hier, Gerard,' roept hij zijn zwager en dan toont hij hem het bedrag. 'Dit bedrag is wel twintig gulden lager dan het bedrag dat Thomas de Zwaan aan Tinus betaald heeft, Gerard.'

'Wil je daarmee zeggen dat Tinus geld in eigen zak steekt?'

'Het ziet er wel naar uit.' Toon kijkt zijn zwager met een bezorgd gezicht aan.

'Kan er geen vergissing in het spel zijn, Toon? Het kan toch niet waar zijn!'

'Ik help het je hopen, Gerard, maar we moeten dit wel tot op de bodem uitzoeken.' Ze voegen de daad bij het woord en noteren de namen van kopers in de afgelopen maanden en de bedragen die ze volgens de boeken betaald hebben.

'Tijdens mijn visites ga ik deze adressen af en vraag de mensen wat ze voor de paarden betaald hebben,' besluit Toon.

Het duurt enkele weken voordat Toon tijd heeft kunnen vrijmaken om alle adressen te bezoeken en de genoteerde bedragen te vergelijken met de bedragen in de boeken. Dan blijkt dat er in bijna alle gevallen lagere bedragen in de boeken staan dan Tinus ontvangen heeft. Het gaat bij elkaar om een aanzienlijk bedrag. Gerard en Toon zijn er beiden confuus van.

'Wat moeten we daar nou mee?' vraagt Gerard zich hardop af en als hij zijn zwager aankijkt haalt die zijn schouders op, maar beiden komen dan tot de conclusie dat er drastische maatregelen tegen Tinus genomen moeten worden.

'Maar degene die daarover in eerste instantie een beslissing moet nemen is mijn moeder,' vindt Toon en daar is Gerard het helemaal mee eens en ook dat Toon het geval met haar en ome Arie zal bespreken.

Het is niet ongewoon dat Toon, na zijn werk op hoeve De Bok, even thee gaat drinken bij zijn moeder op de Adehoeve. Deze keer is hij echter gespannen en moeder Trui ziet het.

'Is er iets?' vraagt ze dan ook, maar Toon schudt zijn hoofd. Hij wil het onderwerp van de frauderende Tinus niet aanroeren waar iedereen bij is, maar als Nelis en Neel weer aan het werk gaan houdt hij ome Arie en zijn moeder tegen.

'Ik heb even gewacht tot de anderen weg zijn, moe, maar je

hebt het goed gezien dat er iets aan de hand is. Ik heb een heel naar bericht.'
'Je maakt me aan het schrikken, jongen, wat is er?' Moeder Trui kijkt haar zoon met een bezorgde blik aan. 'Toch niks met jou persoonlijk, hoop ik.'
'Ik heb gemerkt dat Tinus Groot niet te vertrouwen is, moe.'
En dan vertelt hij wat hij de laatste weken ontdekt heeft. Trui en Arie hebben zijn verhaal ademloos aangehoord en ze zijn erg ontdaan, vooral Trui.
'Dat had ik nooit achter die man gezocht,' zegt ze hoofdschuddend.
'We moeten die kerel eens stevig aan de tand gaan voelen of meteen naar de veldwachter gaan,' oppert Arie, maar Trui is zover nog niet.
'De veldwachter kunnen we er altijd nog bij halen, Arie. Mijn voorstel is dat Toon en ik eerst met Tinus gaan praten.'
Aldus wordt besloten.

'Ik dacht dat je klaar was,' zegt Tinus als Toon diezelfde middag weer terugkomt op De Bok. Maar dan ziet hij zijn ernstige gezicht en vraagt of er narigheid is.
'Ja, er is narigheid; ik kom je halen voor een gesprek op de Adehoeve.'
'Op de Adehoeve? Kan het niet hier?'
'Nee, moeder en ik willen met je praten en dat doen we liever op de Adehoeve dan hier.'
'Dat klinkt nogal gewichtig; ik heb er eigenlijk geen tijd voor, maar als je moeder het wil zal ik maar meegaan.'
Toon ergert zich een beetje aan de houding van de knecht en het ligt op z'n tong om te zeggen dat zijn eigen opdracht voldoende zou moeten zijn, maar hij houdt zich nog maar even in.
Die terughoudendheid laat hij varen als ze op de Adehoeve zijn. Daar neemt hij het voortouw in het gesprek en vertelt de knecht zonder omwegen wat hij ontdekt heeft. Van de aanvankelijke bravoure van Tinus Groot is dan niets meer

over. Hij zit erbij met een kop als vuur.

'Je hebt ons vertrouwen wel erg beschaamd, Tinus,' zegt Trui. 'Hoe kon je dat nou doen?'

'Ik wilde aan mijn harde werken ook wel wat overhouden, Trui, en niet alles laten verdwijnen in de zakken van Arie Kootwijk. Samen hadden wij er ook een goed bedrijf van kunnen maken.' Tinus doelt hierbij op zijn vroegere wens te trouwen met zijn bazin.

'Jij weet best dat ik daar niets voor voelde, Tinus. Mijn man hier op een negatieve manier bij betrekken, neem ik je erg kwalijk. Ik hoorde dat je kennis hebt aan de weduwe Jans Klaver. In plaats van je te gedragen maak je nu alles voor haar en voor jezelf kapot.'

'Dat wilde ik juist niet, Trui. Ik wilde voor haar en mezelf een goede toekomst opbouwen en dat bereik ik nooit met alleen maar geld voor een ander te verdienen.'

'Was dan komen praten! Achteraf gezien was het wellicht beter geweest jou en Frans wat provisie over de verkopen te geven. Wat je nu gedaan hebt kunnen wij niet onbestraft laten, Tinus.'

De knecht kijkt haar met een angstig gezicht aan en vraagt of ze de veldwachter erin gaat betrekken, maar Trui schudt tot zijn opluchting haar hoofd. 'Dat ben ik niet van plan, maar ik heb wel twee voorwaarden. De eerste is dat je al het gestolen geld terugbetaalt en de tweede is dat je genoegen neemt met de tweede plaats op de hoeve.'

'Hoe bedoel je dat laatste, Trui?'

'Dat is nogal duidelijk; jij hebt getoond dat je onbetrouwbaar bent en dus wordt de leiding van hoeve De Bok overgedragen aan Frans Borst.'

'Dus Frans wordt mijn baas,' concludeert Tinus met een rood hoofd.

'En dan kom je er nog goed vanaf, Tinus,' reageert Toon op het ontevreden gezicht van de knecht. 'Als wij er politiewerk van maken dan ben jij je baan kwijt en dan draai je de gevangenis in met alle schande vandien.'

'Ik weet het; excuses dat ik het zover heb laten komen.'
Tinus laat berouwvol zijn hoofd zakken, maar hij heeft nog
één vraag: 'Gaan jullie Frans inlichten?'
'Gaan wij Frans inlichten?' herhaalt Trui de vraag van de
knecht. Zij moet er even over nadenken. Tinus heeft altijd
hard gewerkt en mede aan hem is het te danken dat De Bok
zo'n goede naam heeft opgebouwd. De teleurstelling dat zij
nooit iets van hem wilde weten knaagt blijkens zijn uitla-
tingen nog steeds aan hem. Zij moet er iets tegenover stellen, want de maatregelen die zij nemen zijn weliswaar
terecht, maar ook erg pijnlijk voor hem.
'Ik weet het goed met je gemaakt, Tinus,' besluit ze. 'Wij
houden het onder ons en zullen Frans niet vertellen dat hij
zijn promotie te danken heeft aan jouw stommiteiten. Maar
ook ik heb fouten gemaakt door jullie niet te stimuleren
met een belang in de verkoop. Voortaan ontvangen jullie
provisie, maar daar zul jij de eerstkomende tijd niet van
kunnen profiteren, want daarvan zal eerst het gestolen geld
moeten worden terugbetaald.'
'Ik wil er nog iets aan toevoegen, moeder,' zegt Toon. 'Als
Tinus zich niet schikt onder de leiding van Frans, dan vliegt
hij er alsnog uit.' En tot de knecht: 'Besef wel, Tinus, dat je
er goed vanaf komt, want alle andere bazen zouden onver-
wijld de politie ingeschakeld hebben.'
'Het spijt me zeer; bedankt voor jullie begrip,' reageert
Tinus en met de pet in z'n handen gaat hij terug naar De
Bok.

De zaterdag daarop is Toon weer op hoeve De Bok en
brengt Gerard op de hoogte van het gesprek met Tinus. Dan
drinken ze bij Greetje koffie of er niets gebeurd is, maar als
Tinus en Frans weer aan het werk willen gaan, vraagt Toon
aan Frans even te blijven zitten.
'Ik heb begrepen dat de verhoudingen hier wat ingewikk-
keld liggen. Greetje had het laatst zelf over twee kapiteins
op één schip. Daar willen moeder en ik iets aan doen. Wij

hebben besloten dat jij, Frans, hier voortaan de leiding krijgt.'

'Echt waar?' Frans is verrast door de uitspraak van Toon en Greetje niet minder, maar ze vragen zich wel hardop af of Tinus dit zal accepteren.

'Moeder en ik hebben met Tinus gesproken en die is ermee akkoord,' verzekert Toon de twee.

'Dat valt me mee,' reageert Frans verheugd. Hij kan het bijna niet geloven en begrijpt evenmin als Greetje waar deze ommekeer in de houding van Tinus plotseling vandaan gekomen is. Nog verheugder is hij als hij hoort dat hij voortaan van alle verkopen 5% provisie krijgt en Tinus 3%. 'Verschil tussen de baas en de knecht moet er zijn, nietwaar?' lacht hij.

Als Toon weg is vallen ze elkaar vol blijdschap om de hals, maar ze begrijpen er nog steeds helemaal niets van.

Door zijn vakkennis en goede omgangsvormen heeft Toon het vertrouwen van de boeren in vrij korte tijd gewonnen. Werd hij in het begin met argwaan tegemoetgetreden als hij kwam, nu is het andersom en zijn de boeren blij met hun jonge veearts. Dat laatste heeft Johan Duyvelaer kennelijk ook in de gaten en hij voelt aan dat hij zich zo langzamerhand zonder veel bezwaren zal kunnen terugtrekken.

'Ik wil eens met je praten, Toon,' zegt hij op een dag. 'Ik heb de indruk dat jij je draai aardig gevonden hebt en, wat belangrijker is, dat je volledig wordt geaccepteerd door de boeren. Dat ging sneller dan ik voor mogelijk had gehouden.'

'Ik heb het aan de houding van de boeren gemerkt, dokter,' reageert Toon, maar ondanks dat is hij blij met de woorden van de oude veearts. Hij zegt het ook en Duyvelaer knikt.

'In jou zie ik een waardig opvolger, Toon. Ik heb ergens aan de kust een huisje gekocht en daar zouden mijn vrouw en ik onze oude dag willen doorbrengen. Ik ben gek op de zee en een dagelijkse strandwandeling lijkt mij heerlijk. Als ik hier blijf dan ben ik bang af en toe toch te moeten invallen en daar zie ik tegen op. Hoe staat het met jouw trouwplannen, Toon?'

'Trouwplannen? Ik heb nog niet eens verkering,' lacht Toon.

'Meen je dat? Ik heb jou al enkele keren gezien met een erg mooie vrouw.'

'Dat was Ilse van Dijssel, een goede vriendin, maar meer ook niet.'

'O, dat vind ik jammer, maar ik ga ervan uit dat je niet eeuwig vrijgezel zult blijven. Ik bied je aan de praktijk van mij over te nemen en als je wilt kun je hier blijven wonen.'

'Ik stel het erg op prijs dat u zoveel vertrouwen in mij stelt, dokter, en uw aanbod zal ik graag accepteren. Het overnemen van een bestaande praktijk is immers de droom van iedere jonge veearts.'

'Dat is goed om te horen, Toon. De bedoeling is dan dat je de praktijk en de woning van mij overneemt. Wellicht zijn de totale lasten in het begin wat te hoog en daarom bied ik je aan de woning voorlopig te huren. De keuze is aan jou. Uiteraard zullen we alles zorgvuldig zwart op wit laten zetten, zodat we beiden weten waar we aan toe zijn. Hoe denk je erover?'

'U overvalt me nogal met uw aanbod, dokter, en, zoals ik al zei, heb ik natuurlijk belangstelling, maar als jong veearts heb ik nog geen kapitalen vergaard. Ik zal er dus ook thuis over moeten praten.'

'Dat begrijp ik, er is ook geen haast bij, jongen.' Het klinkt erg vaderlijk en Toon is daar blij om en het geeft hem ook het vertrouwen dat Duyvelaer hem het vel niet over de oren zal halen. Een garantstelling van thuis zal waarschijnlijk voldoende zijn voor een lening. Hij neemt zich voor er het komende weekeinde eens rustig met zijn moeder en ome Arie over te praten.

Als Toon enkele dagen later op de Adehoeve is en met zijn moeder en stiefvader over het voorstel van de oude veearts wil praten, ontvangen ze hem met bezorgde gezichten.

'Is er iets?' vraagt hij dan ook en beiden knikken.

'Jaap is vanmorgen ingestort. We hebben onmiddellijk de dokter laten komen en die vond het nodig Jaap meteen naar het ziekenhuis te vervoeren. Er schijnt iets niet in orde te zijn met zijn beschadigde long.'

'Wat hebben jullie of Kaatje met de dokter afgesproken?'

'Dokter De Boog is met hem mee naar het ziekenhuis gegaan en hij heeft Kaatje beloofd zo spoedig mogelijk te laten weten hoe het met hem is.'

'Zou het zin hebben als ik naar het ziekenhuis ga?' vraagt Toon zich hardop af. Hij ziet aan vooral het gezicht van ome Arie dat de man zich vreselijke zorgen maakt.

'De dokter weet hoeveel zorgen we ons maken, dus hij zal ons niet langer in onzekerheid laten dan strikt nodig is,' denkt Arie en algauw krijgt hij gelijk, want even later draait het rijtuig van de dokter het erf op. Kaatje wacht hem op in het deurgat van haar huis.

'Laten wij er ook maar gauw heen gaan,' zegt Trui. Ook zij maakt zich grote zorgen om haar stiefzoon.

'Het gaat erg slecht met Jaap,' zegt de arts als ze allemaal binnen zijn.

'Hoe slecht?' vraagt Arie en dan schudt de dokter zijn hoofd.

'U moet zich op het ergste voorbereiden en ik adviseer u meteen maar naar het ziekenhuis te gaan,' zegt hij tot ontzetting van iedereen.

Geholpen door Toon spant Arie het paard voor de kapwagen en een kwartier later zijn ze op weg. Aangekomen in het ziekenhuis vernemen ze dat Jaap stervende is. Ze krijgen nog net de gelegenheid afscheid te nemen, maar of de patiënt er nog iets van gemerkt heeft is de vraag.

'Ga maar bij de vrouwen in de kapwagen, ome Arie; ik rijd wel terug,' biedt Toon aan en Arie knikt. Praten kan hij niet want hij is overmand door verdriet. De plotselinge dood van zijn zoon heeft hem sterk aangegrepen. Thuisgekomen

214

worden de luiken van de beide woningen gesloten en gaat Toon pastoor Eerhart het droeve bericht brengen. Als dan even later de kerkklokken hun donkere klanken over het dorp uitstrooien weten de dorpelingen dat er iemand overleden is. Jaap Kootwijk, zesentwintig jaar oud, is dood. Er gaat een schok van ontzetting door het dorp. Jaap, de zoon van een der grootste boeren van het dorp, is niet meer.

Arie en Hein laten hun tranen de vrije loop als enkele uren later het lichaam van Jaap gebracht wordt. Zij worden getroost door Trui, Toon en Lien, die iets verder van de overledene af staan.

Kaatje gaat stil en bleek door het huis en weet zichzelf nauwelijks een houding te geven. Toon houdt even haar handje vast als hij haar condoleert en als hij haar dan in de ogen kijkt ziet hij geen verdriet, maar hoop. Hoop die hij met haar deelt, maar dit is niet het geschikte moment om daarbij stil te staan. Er zijn veel dingen te regelen en daar gaat hij zijn stiefvader bij helpen.

Er volgen dagen waarin iedereen op zijn of haar eigen wijze met de overledene bezig is. De belangstelling tijdens het rouwbezoek is groot. Er wordt gebeden voor het zielenheil van de overledene en enkele dagen later is de begrafenis. Ook dan is de kerk vol en even later begeleiden velen de jonge boer naar zijn laatste rustplaats. Dof klinken de scheppen aarde die familie, vrienden en bekenden op de kist gooien.

Gelegenheid tot condoleren is er na de begrafenis in de zaal van het dorpscafé. Velen maken er gebruik van en eindeloos moet vooral Toon uitleggen hoe alles zo onverwacht snel gegaan is. Hij is opgelucht als de hele plechtigheid achter de rug is en ze naar huis kunnen. Daar trekt hij oude kleren aan om samen met Hein het werk te doen dat op een boerderij onder alle omstandigheden moet worden verricht. Ome Arie beduidt hij rustig in zijn stoel te blijven zitten om wat bij te komen van alle emoties. Moeder Trui is hem er dankbaar voor en omringt haar man met alle mogelijke zorgen. Daar heeft ze ook de dagen erna de handen aan vol, want een gevoelsmens als Arie, heeft zorg en aandacht nodig. Ook een luisterend oor, want ze weet uit eigen ervaring dat praten oplucht, al worden de onderwerpen tot in den treure herhaald.

De zondag na de begrafenis gaat Toon samen met de anderen naar de kerk. De familie is in de rouw en Kaatje ziet er in haar zwarte kleren mooi uit. Hij kan zijn ogen niet van de vrouw die hij liefheeft, af houden. Ze slaapt alleen nog maar in haar eigen huis. Overdag zit ze of bij Trui of bij haar ouders. 'Ik houd het niet uit alleen in dat lege huis,' zegt ze als Toon haar vraagt hoe het gaat. Ze herhaalt dat als ze een aantal weken later gezamenlijk koffiedrinken in de Adehoeve en dan reageert Hein nogal ontactisch. Hij vraagt zich hardop af of Kaatje misschien liever weggaat uit haar huis, zodat hij er met zijn meisje, na hun trouwen, kan gaan wonen.
'Wat zeg jij nou allemaal?' vraagt Arie verontwaardigd. 'We zitten in de rouwtijd en dan praat jij over trouwen.' Ook Trui vermaant hem, maar Kaatje kijkt Toon met een zachte blik aan. In haar ogen gloort de hoop en ze weet dat de man die zij liefheeft, die hoop in vervulling zal doen gaan.

Naarmate de tijd voortschrijdt slijten de scherpe kantjes van het grote verdriet dat de Adehoeve getroffen heeft. De bewoners vinden steun bij elkaar en op zondag zijn Toon en Kaatje er ook. Trui ontfermt zich een beetje over het jonge vrouwtje, maar bij haar bespeurt ze weinig verdriet en dat verbaast haar eigenlijk niet. Zeker niet als ze let op de gezichten van haar en Toon. Ze verliezen elkaar nauwelijks uit het oog.
De dood van Jaap heeft haar zelf wel erg aangegrepen, want hij was nog maar een jongetje toen ze met Arie trouwde. Veel verdriet heeft Arie gehad en ze is blij dat ze kort na

216

het overlijden van Jaap zelf goed in staat was hem te troosten en moed in te spreken. Voor beiden, maar vooral voor Arie, is het fijn dat Hein besloten heeft voorgoed weer op de Adehoeve te komen. Dat zal ook wel zo blijven, want nu Jaap dood is, is Hein de opvolger van Arie. Zijn opmerking over trouwen en in het nieuwe huis gaan wonen, was erg ontactisch tegenover Kaatje, maar ondanks dat acht zij de mogelijkheid dat dat binnen niet al te lange tijd werkelijkheid wordt, erg groot. Als de rouwtijd om is zullen Toon en Kaatje zeker nader tot elkaar komen. Woonruimte hoeven ze niet meer te zoeken, want Toon krijgt de beschikking over het grote huis als de oude veearts zijn praktijk overdraagt en vertrekt.

Als die zondag de anderen weg zijn en Trui alleen met Toon achterblijft, heeft zij even de gelegenheid zijn toekomstplannen te peilen. Hij knikt heftig als zij hem op de man af vraagt of hij na de rouwtijd Kaatje een aanzoek zal doen. 'De vroegtijdige dood van Jaap is verschrikkelijk, moe, maar, hoe cru het ook klinkt, zijn dood heeft voor Kaatje en mij de weg vrij gemaakt. Je weet net zo goed als ik dat het huwelijk van die twee slecht was. Nog onlangs heb je mij verteld dat Kaatje haar nood bij jou geklaagd heeft.'

'Ik weet het, jongen; ik heb jullie vaak genoeg geobserveerd om te weten hoe jullie verhouding is.'

'Die was bijna dramatisch, moe. Wij verlangden naar elkaar, maar het mocht niet. Kaatje had het er nog het moeilijkst mee. Zij had een slecht leven bij Jaap en dat vertelde zij mij huilend toen ik haar net na het ongeluk van Jaap bezocht. Ik troostte haar door simpelweg mijn hand op haar schouder te leggen, maar haar reactie was aandoenlijk. Zij klampte zich aan mij vast. Hoe moeilijk het voor mij ook was, heb ik haar voorgehouden dat ik geen misbruik wilde maken van het ongeluk van Jaap.

Zij was blij een poosje van hem af te zijn, moe. Dat heeft Kors van Egmond op zijn geweten. Je dochter dwingen te trouwen met een man waar zij niet van houdt, is bijna misdadig.'

'Wind je niet zo op, Toon!' Trui vergeet bijna dat haar zoon, die met een kleur van opwinding voor haar staat, een volwassen man is met een hoge maatschappelijke positie. Haar lieve jongen met een hart van goud is de laatste jaren door een diep dal gegaan. Hij moest aanzien hoe het meisje dat hij liefheeft, slecht behandeld werd door de stiefbroer die nooit een goed woord voor hem overhad. Ze heeft die ontwikkeling met lede ogen aangezien, maar ze mocht en wilde zich er nooit mee bemoeien. Misschien had ze het wel moeten doen, want dan was zowel Toon als Kaatje een hoop ellende bespaard gebleven. Er moest een vreselijk ongeluk gebeuren om twee mensen die zielsveel van elkaar houden, bijeen te brengen. Ze gunt haar jongen het geluk en ze weet zeker dat Kaatje een fijn leven bij hem zal krijgen.

'Ik gun je alle geluk, jongen, maar probeer tijdens de rouwtijd je liefde voor Kaatje niet al te openlijk te tonen,' besluit ze.

'Dat beloof ik, moe. Je denkt daarbij zeker ook aan de gevoelens van ome Arie.'

'Natuurlijk! Hem treft geen enkele blaam, Toon. Hij wist en zag, zeker in het begin, dat Jaap gek was op Kaatje. Voor hem was er dus geen enkele aanleiding zich tegen de omgang van die twee te verzetten, integendeel, volgens de begrippen van de boerenstand was het een ideaal koppel.'

'Zou hij er nooit iets van gemerkt hebben dat Kaatje meer belangstelling voor mij dan voor Jaap had?'

'Ik weet het niet; wij hebben het er, eerlijk gezegd, nooit over gehad. Jaap was zijn kind en ik kon en wilde me er niet mee bemoeien.'

'Had je daar ook nooit behoefte aan?'

'Misschien wel, maar na ons trouwen hebben wij nooit onze eigen kinderen voorgetrokken. Een meisje van Jaap afnemen om het vervolgens in jouw armen te duwen, om het zo maar eens te zeggen, kon toch niet.'

218

'Je hebt gelijk, moe. Ik beloof je nogmaals dat ik Kaatje voorlopig niet openlijk mijn liefde zal tonen, maar ik ga nu wel even afscheid van haar nemen voordat ik terug naar Veendorp ga.'

'Ik heb erop gehoopt dat je nog even langs zou komen, lieverd,' zegt Kaatje als Toon afscheid komt nemen. 'Je hebt toch nog wel even tijd?'
'Al was het voor de rest van mijn leven, lieve schat. Ik ben blij dat je nog niet gedaan hebt wat je van plan was.'
'Wat dan?' Kaatje kijkt hem verbaasd aan.
'Hier niet in je eentje blijven; dat zei je toch!'
'Ja, in het begin kwamen de muren op me af, maar ik wil het hier toch niet leeg laten staan. Overdag ben ik meestal weg.'
'En 's nachts slaap je hier in je eentje.'
'In m'n eentje, ja. Ik verlang 's nachts vaak naar jou, lieverd.'
Ze kijkt hem met haar mooie ogen verliefd aan en slaat haar armen om zijn nek. 'Hoelang moeten we nog wachten, Toon?' Ze drukt haar lippen op de zijne en sluit haar ogen.
'Ik heb zojuist een lang gesprek gehad met mijn moeder.' Hij gaat op een stoel zitten en trekt haar op zijn knie. 'Haar heb ik moeten beloven gedurende de rouwtijd jou mijn liefde niet openlijk te tonen, schatje.'
'Als ze het mij gevraagd had dan had ik het haar ook beloofd, jongen. Natuurlijk moeten wij de eer aan onszelf houden, maar in een besloten ruimte als dit huis mogen we toch eindelijk wel wat kussen en knuffelen?' Ze voegt de daad bij het woord en kust haar lieve jongen tot ze geen adem meer heeft. 'Hier heb ik zo naar verlangd, Toon.' Ze krijgt tranen in haar ogen en drukt zich wild tegen hem aan.
'Ik ook, lieve schat. Het zal niet meevallen nog een hele poos met elkaar om te gaan als zwager en schoonzuster. Toch moeten wij ons best doen, want vooral ome Arie heeft nog steeds veel verdriet en zijn gevoelens moeten wij respecteren, lieveling.'
'De gedachte aan onze heerlijke toekomst zal mij kracht

geven openlijk afstand te bewaren, lieverd. De laatste die ik verdriet wil doen is mijn schoonvader, want dat is een goeie kerel. Hij en jouw moeder vormen een prachtig koppel. Ik ben blij dat zij mijn schoonouders blijven.'

'Niet meer vlak naast de deur, schatje, want onze toekomst zie ik in onze riante woning in Veendorp. Jij als vrouw van de veearts zult er de scepter zwaaien en de boodschappen van de boeren aannemen.'

'Als boerendochter spreek ik de taal van de boeren, maar van zieke beesten heb ik geen verstand, hoor! Je vertelde me dat de vrouw van de oude veearts dat wel heeft.'

'Mevrouw Duyvelaer heeft vaak haar diagnose al klaar als ik op pad ga na een melding en zij is een stadsvrouwtje, maar wel met bijna veertig jaar ervaring in de veeartsenij.'

'Ik zal de dag prijzen als we samen in Veendorp zitten, jongen, en als ik me verveel kan ik je zus Lientje nog gaan helpen.' Ze kust hem innig bij het afscheid en Toon belooft de volgende zondag weer even aan te komen.

'Ik heb altijd gedacht dat het uiteindelijk toch wel wat zou worden tussen jou en Ilse, maar deze aankondiging zet daar definitief een punt achter,' zegt Thomas als Toon even bij hem langsgaat. Hij overhandigt hem een kaart en Toon leest: '... als wederzijdse ouders hebben wij het genoegen u de verloving aan te kondigen van onze dochter Ilse van Dijssel en onze zoon Christiaan van Zuylen...'

'Dus toch!' verbaast Toon zich.

'Vind je het nou toch niet een beetje jammer, Toon?'

'Nee, Thomas! Ik hoop dat Ilse gelukkig wordt met haar Christiaan. Zelf word ik het zeker met Kaatje, de weduwe van mijn overleden stiefbroer Jaap. Dat moet jou toch ook niet verbazen, want meer dan eens heb ik je verteld welke gevoelens ik vroeger koesterde voor Kaatje. Daar is nooit verandering in gekomen en de liefde was en is wederzijds, dat kan ik je verzekeren.'

'Wanneer wordt daar officieel ruchtbaarheid aan gegeven, Toon?'

'Ruim na het einde van de rouwperiode, Thomas. Ik was getuige bij jouw huwelijk met Corine en ik hoop dat jij te zijner tijd getuige zult willen zijn als Kaatje en ik elkaar het jawoord geven.'

'Daar kun je op rekenen, Toon. De aanleiding is wel erg triestig, maar ik ben blij voor jou dat jij eindelijk ook het ware geluk gevonden hebt. Ik spreek uit eigen ervaring als ik je een huwelijk met een lieve vrouw van harte kan aanbevelen.'

Toon en Kaatje brengen in de praktijk wat zij Trui en elkaar beloofd hebben. Mede om roddelaars bij voorbaat de mond te snoeren wachten ze tot ruim twee maanden na afloop van de rouwtijd om zich samen in het openbaar te vertonen. In de eigen kring maken ze er al een poos geen geheim meer van en ze zijn blij dat zowel Hein als diens vader er vrede mee heeft. Die zijn zelfs blij dat Kaatje in de familie blijft.

Intussen brengt Toon gedurende het weekeinde heel wat uurtjes door bij Kaatje en zij bloeit helemaal op. Als zij haar rouwkleding heeft afgelegd kan zij weer wat fleurigs aan en dat staat haar goed.

'Ik ben van plan een afspraak met pastoor Eerhart te maken, schat, wat vind jij daarvan?' Toon kent het antwoord van zijn lieve Kaatje en daar hoeft hij dan ook niet lang op te wachten. Ze slaat haar armen om zijn nek en kust hem innig.

'Alles wat je doet om onze trouwerij te bespoedigen juich ik toe, lieverd,' zegt ze zacht.

Toon laat er vervolgens dan ook geen gras over groeien en gaat voortvarend te werk. De gesprekken met de pastoor worden gehouden en tussendoor stelt hij zijn toekomstige vrouw voor aan het echtpaar Duyvelaer.

'Ik heb veel over je gehoord en ik ben blij je nu eens in

levende lijve te zien,' zegt mevrouw Duyvelaer als Kaatje haar opwachting maakt in het huis van de veearts. Ook Johan Duyvelaer maakt kennis met haar. Hij knikt goedkeurend en geeft Toon een knipoog. Toon begrijpt eruit dat zijn keuze de goedkeuring van de oude veearts kan wegdragen. In haar kleurige kleedje met een blos van opwinding op haar wangen ziet ze er dan ook uit als een plaatje. 'Lief en bescheiden,' zal hij Toon later toefluisteren.

'Ik ben blij dat ik de praktijk binnenkort definitief kan overdragen en me samen met mijn vrouw kan terugtrekken in ons nieuwe huisje aan zee,' zegt hij. 'Jullie krijgen dan ruimschoots de tijd dit huis naar eigen smaak in te richten.'

'En misschien van jouw 'wachthokkie' een echte wachtkamer te maken,' lacht mevrouw.

'Daar plaagt ze me al jaren mee,' kaatst de veearts terug. 'Maar je weet wat de Duitsers zeggen, hè? *Was sich liebt, das neckt sich.*'

'Wij plagen elkaar nooit,' zegt Toon en Kaatje bevestigt dat desgevraagd met zo'n ernstig gezichtje dat ze allemaal moeten lachen. Het wordt een vrolijke kennismaking. Ze maken ook nog even gebruik van de gelegenheid bij Lientje en Gerard langs te gaan en vooral Lientje is blij met hun komst. Als ze hoort dat de oude veearts binnenkort gaat verhuizen biedt ze haar hulp aan bij de inrichting van het grote deftige huis van het vertrekkende stel.

De ontwikkelingen gaan nu snel. Eerst hebben Toon en Kaatje hun handen vol aan de inrichting van hun nieuwe woning. Ze hebben daarbij hulp van familie en vrienden. Het huis telt een aantal kamers die alle gemeubileerd zijn. Het is voor de familie Duyvelaer onmogelijk alles in hun kleinere huis aan zee een plaats te geven en dus neemt Toon veel voor een prikkie over. De huiskamer, de keuken en hun slaapkamer richten ze echter met eigen spullen naar hun eigen smaak in. Op een dag is alles in het grote huis klaar om de nieuwe bewoners te ontvangen.

En dan kondigen de klokken van de dorpskerk voor de tweede keer het huwelijk aan voor Kaatje, maar deze keer gaat ze trouwen met een man waar ze echt van houdt. Ze is zielsgelukkig, maar de omstandigheden zijn er niet naar dat geluk uitbundig te tonen. De trouwerij is een ingetogen plechtigheid en dat geldt ook voor het aansluitende feest.
Vooral dat laatste is voor het gelukkige bruidspaar maar bijzaak.
Hein Kootwijk heeft het bruidspaar die ochtend in de versierde kapwagen naar de kerk gereden en aan het einde van de dag brengt hij hen naar Veendorp. Daar draagt Toon zijn bruidje over de drempel en dan zeggen ze tegen elkaar: 'Eindelijk samen!' Twee woordjes, die een verzuchting lijken, maar die in werkelijkheid hun intense geluk uitdrukken.